Le grand se

Maurice Maeterlinck

Alpha Editions

This edition published in 2024

ISBN : 9789361477591

Design and Setting By
Alpha Editions
www.alphaedis.com
Email - info@alphaedis.com

Contents

PRÉLIMINAIRES

I

Qu'on ne s'attende pas à trouver ici une histoire ou une monographie méthodique de l'occultisme. Il y faudrait consacrer des volumes que remplirait forcément une grande partie du fatras que je veux avant tout épargner au lecteur. Je n'ai d'autre dessein que de dire aussi simplement que possible ce que m'ont appris plusieurs années passées dans ces régions assez décriées et peu fréquentées. J'en rapporte les impressions d'un voyageur de bonne foi qui les a parcourues en curieux plutôt qu'en croyant. Ce sera, si l'on veut, une sorte de résumé ou de mise au point provisoire. Je ne sais rien de plus que ce que pourrait apprendre le premier venu qui ferait la même excursion. Je ne suis pas un initié, je n'ai pas eu de maîtres évanescents et mystérieux venus tout exprès des confins de ce monde ou d'un autre pour me révéler les dernières vérités et me défendre de les répéter. Je n'ai pas eu accès aux bibliothèques cachées, à ces sources secrètes de la suprême Sagesse qui, paraît-il, existent quelque part, mais seront toujours pour nous comme si elles n'étaient point, attendu qu'en y pénétrant on se condamne, sous peine de mort, à un silence inviolable. Je n'ai pas davantage déchiffré d'incompréhensibles grimoires ni découvert une clef nouvelle aux livres sacrés des grandes religions. J'ai seulement lu et étudié la majeure partie de ce qui a été écrit sur ces questions ; et parmi une masse énorme de documents absurdes, puérils, ressassés et inutiles, je ne me suis attaché qu'aux œuvres maîtresses qui ont vraiment à nous apprendre quelque chose que nous ne trouvons pas ailleurs. En déblayant ainsi les abords d'une étude trop souvent encombrée de débris rebutants, je faciliterai peut-être la tâche de ceux qui voudront et sauront aller plus loin que moi.

II

Grâce aux travaux d'une science assez récente, notamment grâce aux recherches des indianistes et des égyptologues, il nous est aujourd'hui beaucoup plus facile que naguère de retrouver les sources, de remonter le cours et de débrouiller le réseau souterrain du grand fleuve mystérieux qui depuis l'origine de l'histoire a coulé sous toutes les religions, sous toutes les croyances, sous toutes les philosophies, en un mot sous toutes les manifestations diurnes ou à ciel ouvert de la pensée humaine. Il n'est plus guère contestable que cette source se trouve dans l'Inde antique. De là, l'enseignement sacré se répandit probablement en Égypte, gagna la Perse ancienne, la Chaldée, satura le peuple hébreu, s'infiltra dans la Grèce et le nord de l'Europe, atteignit la Chine et même l'Amérique où la civilisation

Astèque n'était qu'une réplique plus ou moins déformée de la civilisation égyptienne.

Nous avons ainsi trois grands dérivés de l'occultisme primitif, Aryo ou Atlantéo-Hindou : 1° l'occultisme antique, c'est-à-dire égyptien, persan, chaldéen, juif et celui des mystères grecs ; 2° l'ésotérisme judéo-chrétien avec les Esséniens, les gnostiques, les néo-platoniciens d'Alexandrie et les kabbalistes du moyen âge, et 3° l'occultisme moderne plus ou moins imprégné des précédents, mais qui, sous le vocable d'ailleurs assez inexact d'occultisme, désigne plus spécialement, à côté des théosophes, les spirites et les métapsychistes d'aujourd'hui.

III

Quant aux sources de la source primaire, il est à peu près impossible de les retrouver. Nous n'avons ici que les affirmations de la tradition occultiste, affirmations que des découvertes historiques semblent d'ailleurs çà et là confirmer. Ces traditions attribuent l'immense réservoir de sagesse qui s'était formé quelque part, dès l'origine de l'homme, et, à ce qu'elles disent, même avant sa venue sur cette terre, à des entités plus spirituelles, à des êtres moins engagés dans la matière, à des organismes psychiques, dont les derniers venus, les Atlantes, n'auraient été que les représentants dégénérés.

Au point de vue historique, au delà de cinq ou six mille ans, sept mille peut-être, les documents nous font absolument défaut. Nous ne pouvons pas savoir comment est née la religion des Hindous et des Égyptiens. Quand nous la trouvons, elle est déjà toute faite dans ses grandes lignes, dans ses grands principes. Non seulement elle est toute faite ; mais plus on remonte, plus elle est parfaite, plus elle est pure, plus elle se rapproche des plus hautes spéculations de l'agnosticisme d'aujourd'hui. Elle suppose une civilisation antérieure, dont, étant donnée la lenteur de toute évolution humaine, il est impossible d'évaluer la durée. Cette durée doit vraisemblablement se calculer par milliers de milliers d'années. C'est ici que la tradition occultiste vient à notre aide. Pourquoi cette tradition serait-elle, *à priori*, inacceptable et méprisable, alors que presque tout ce que nous savons de ces religions primitives est également fondé sur la tradition orale, car les textes écrits sont de beaucoup postérieurs ; et qu'en outre tout ce que nous dit cette tradition concorde curieusement avec ce que nous avons appris d'autre part ?

IV

En tout cas, si l'on a besoin de la tradition occultiste pour expliquer l'origine de cette sagesse qui nous paraît à bon droit surhumaine, on peut fort bien s'en passer pour ce qui concerne l'essentiel de cette sagesse même. Des textes authentiques et qu'on peut situer dans l'histoire, le contiennent tout entier ; et sous ce rapport, les théosophes modernes qui prétendent avoir eu à leur disposition des documents secrets et avoir profité de révélations extraordinaires que leur auraient faites des Adeptes ou Mahatmas, d'une fraternité mystérieuse, ne nous ont rien appris qui ne se trouve dans les écrits accessibles à tous les orientalistes. Ce qui sépare les occultistes, — les théosophes de l'école de Blavatzky, par exemple, qui domine toutes les autres, — des indianistes et des égyptologues scientifiques, ce n'est pas ce qui a rapport à l'origine, à l'économie, au but de l'univers, aux fins de la terre et de l'homme, à la nature de la divinité, aux grands problèmes de la morale ; ce sont presque uniquement des questions qui ont trait à la préhistoire, à la nomenclature des émanations de l'inconnaissable et à la manière de maîtriser et d'utiliser les forces inconnues de la nature.

Occupons-nous d'abord des points où ils s'accordent ; ce sont du reste les plus intéressants ; car tout ce qui touche à la préhistoire est forcément hypothétique, les noms et les fonctions des dieux intermédiaires n'ont qu'un intérêt de second ordre ; quant à l'utilisation des forces inconnues, elle regarde plutôt les sciences métapsychiques dont nous reparlerons plus loin.

V

« Ce que nous lisons dans les *Védas*, dit Rudolph Steiner, l'un des plus érudits et aussi des plus déconcertants parmi les occultistes contemporains, ce que nous lisons dans les *Védas*, ces archives de la sagesse hindoue, ne nous donne qu'une faible idée des sublimes enseignements des anciens instructeurs et non pas dans leur forme originelle. Seul le regard du clairvoyant, porté sur les arcanes du passé, peut découvrir la sagesse inédite qui se cache derrière ces écrits. »

Historiquement, il est fort probable que Steiner a raison. En effet, comme je l'ai déjà dit, plus les textes sont anciens, plus ce qu'ils révèlent est pur et grandiose ; et il est vraisemblable qu'ils ne sont eux-mêmes, selon l'expression de Steiner, qu'un écho affaibli d'enseignements plus sublimes. Mais ne possédant pas le regard du clairvoyant, nous devons nous contenter de ce que nous avons sous les yeux.

Les textes que nous possédons sont les livres sacrés de l'Inde, que viennent corroborer ceux de l'Égypte et de la Perse. L'influence qu'ils exercèrent sur la pensée humaine, sinon dans leur forme présente, du moins par la tradition orale qu'ils n'ont fait que fixer, remonte aux origines de l'histoire, se répandit partout et ne cessa jamais de se faire sentir ; mais, pour le monde occidental, leur découverte et leur étude méthodique sont relativement récentes. « Il y a cinquante ans, écrivait en 1875 Max Muller, il n'existait pas un lettré qui sût traduire une ligne du Véda, une ligne du Zend-Avesta ou une ligne du Tripitâka Bouddhique, sans parler des autres dialectes ou langages. »

Si les faits prenaient d'abord, dans les annales de l'homme, les proportions qu'ils acquerront plus tard, la découverte de ces livres sacrés eût probablement bouleversé l'Europe ; car c'est sans nul doute l'événement spirituel le plus important qui s'y soit produit depuis le christianisme. Mais il est rare qu'un événement spirituel ou moral se répande rapidement dans les masses. Il a contre lui trop de forces qui ont intérêt à l'étouffer. Celui-ci demeura confiné dans un petit cercle de savants et de philologues et atteignit même moins qu'il n'était présumable les métaphysiciens et les moralistes. Il attend encore l'heure de son expansion.

VI

La première question qui se pose est celle de la date de ces textes. Il est très difficile d'y donner une réponse précise ; car s'il est relativement aisé de déterminer l'époque où les livres furent écrits, il est impossible d'évaluer le temps durant lequel ils existèrent uniquement dans la mémoire des hommes. Selon Max Muller, il n'y a guère de manuscrit sanscrit qui remonte plus haut que l'an mil de notre ère, et tout semble indiquer que l'écriture n'a été connue en Inde qu'au commencement de la période bouddhique (Ve siècle avant J.-C.), c'est-à-dire à la fin de la vieille littérature védique. Le *Rig-Véda* qui compte 1.028 hymnes, d'une moyenne de dix vers, soit 153.826 mots, a donc été conservé par le seul effort de la mémoire. Aujourd'hui encore, les Brahmanes savent tous le *Rig-Véda* par cœur, comme leurs ancêtres d'il y a trois mille ans. C'est au delà du Xe siècle avant J.-C. que nous devons placer le développement spontané de la pensée védique telle que nous la trouvons dans le *Rig-Véda.* Déjà trois cents ans avant J.-C., toujours selon Max Muller, le sanscrit avait cessé d'être parlé par le peuple, ce qui est prouvé par une inscription dont la langue est au sanscrit ce que l'italien est au latin.

Cette période des « Chandas », selon d'autres orientalistes, remonte probablement à deux ou trois mille ans avant J.-C., de sorte que nous voilà déjà à cinq mille ans, date la plus modeste et la plus prudente. « Une chose est certaine, ajoute Max Muller, c'est qu'il n'y a rien de plus ancien ni de plus primitif que les hymnes du *Rig-Véda*, non seulement dans l'Inde, mais dans tout le monde Aryen. En tant qu'Aryen de langue et de pensée, le *Rig-Véda* est notre livre sacré le plus ancien[1]. »

[1] MAX MULLER, *Origine et développement de la religion.* Trad. J. Darmesteter, p. 142.

Depuis les travaux du grand orientaliste, d'autres savants ont notablement reculé la date des premiers manuscrits et surtout celle des premières traditions ; mais ils restent encore à d'énormes distances de la computation des Brahmanes qui reportent l'origine de leurs livres à des milliers de siècles avant notre ère. « Il y a actuellement plus de cinq mille ans, dit Swâmi Dayanound Saraswati, que les *Védas* ont cessé d'être un objet d'études » ; et selon les calculs de l'orientaliste Halled, les *Çastras*, d'après la chronologie des Brahmanes, doivent avoir sept millions d'années.

Sans prendre parti dans ces querelles, le seul point qu'il importe d'établir, c'est que ces livres, ou plutôt la tradition qu'ils ont recueillie et fixée, est évidemment antérieure, l'Égypte, la Chine et la Chaldée peut-être exceptées, à tout ce que nous connaissons dans l'histoire de l'homme.

VII

Cette littérature comprend d'abord les quatre Védas : le *Rig*, le *Sama*, l'*Yadjour* et l'*Atharva-Véda*, complétés par les commentaires ou *Brahmanas* et les traités de philosophie appelés *Aranyakas* et *Upanischads*, auxquels il faut ajouter les *Çastras*, ou *Sastras* dont le plus connu est le *Manava-Dharma-Çastra*, ou *Lois de Manou* — qui, selon William Jones, Chézy et Loiseleur-Deslongchamps, remonte au XIIIe siècle avant notre ère, — et les premiers *Pouranas*.

De ces textes, le *Rig* est incontestablement le plus ancien. Les autres s'échelonnent sur un espace de plusieurs centaines, voire de plusieurs milliers d'années ; mais tous, excepté les derniers *Pouranas*, sont antérieurs à l'ère chrétienne, ce qu'il ne faut pas perdre de vue, non dans un sentiment d'hostilité envers la grande religion occidentale, mais pour mettre celle-ci à sa place dans l'histoire et dans l'évolution de la pensée humaine.

Le *Rig-Véda* est encore plus polythéiste que panthéiste et les sommets de la doctrine n'y émergent que çà et là, par exemple dans les stances que nous citons plus loin. Ses divinités ne représentent que des forces physiques amplifiées que le *Sama-Véda* et surtout les Brahmanes ramenèrent par la suite à des conceptions métaphysiques et à l'unité. Le *Sama-Véda* affirme l'Inconnaissable et le *Yadjour-Véda* le Panthéisme. Quant à l'*Atharva*, le plus ancien, selon les uns, le plus récent selon les autres, il est avant tout rituel.

Ces idées furent développées par les commentaires des Brahmanes qui se multiplièrent surtout entre les XIIe et VIIe siècles avant J.-C. ; mais se rattachent probablement à des traditions beaucoup plus anciennes que prétendent avoir retrouvées nos modernes théosophes, sans du reste étayer leurs assertions de preuves suffisantes.

Il faut donc, quand on parle de la religion de l'Inde, la considérer dans son ensemble, depuis le Védisme primitif, en passant par le Brahmanisme et le Krichnaïsme, jusqu'au Bouddhisme ; en s'arrêtant, si l'on veut, deux ou trois siècles avant notre ère, pour éviter tout soupçon d'infiltration judéo-chrétienne.

Toute cette littérature à laquelle on peut annexer, entre bien d'autres, les textes semi-profanes du *Ramayana* et du *Maha-Bahrata*, au milieu duquel s'épanouit le *Bhagavat-Gita* ou *Chant du Bienheureux*, cette magnifique fleur du mysticisme hindou, est encore très imparfaitement connue et nous n'en possédons que ce que les Brahmanes ont bien voulu nous en livrer.

Elle soulève une foule de questions extrêmement complexes dont bien peu ont été jusqu'ici résolues. Ajoutons que la traduction des textes sanscrits, surtout des plus anciens, est encore fort incertaine. Selon Roth, le véritable fondateur de l'exégèse védique, « le traducteur qui rendra le *Véda* intelligible et lisible, *mutatis mutandis*, comme Homère l'est devenu depuis les travaux de Voss, est encore à venir et l'on ne peut guère prévoir sa venue avant le siècle prochain ».

Pour se faire une idée de l'incertitude de ces traductions, il suffit de voir à titre d'exemple, à la fin du troisième volume de la *Religion Védique* d'Abel Bergaigne, le grand orientaliste français, les discussions qui s'élèvent entre les indianistes les plus célèbres, tels que Grassmann, Ludwig, Roth et Bergaigne lui-même, au sujet de l'interprétation de presque tous les mots essentiels de l'hymne I-123, à l'Aurore. « Elle étale, comme le dit Bergaigne, les misères de l'interprétation actuelle du *Rig-Véda*[2]. »

[2] *La Religion védique d'après les hymnes du Rig-Véda*, par A. BERGAIGNE, t. III, p. 283 et suiv.

Les néo-théosophes se sont efforcés de résoudre quelques-uns des problèmes que soulèvent l'antiquité hindoue ; mais leurs travaux, très intéressants en ce qui concerne la doctrine, sont extrêmement faibles au point de vue de la critique ; et il est impossible de les suivre sur un terrain où l'on ne rencontre que des hypothèses invérifiables. La vérité c'est que, quand il s'agit de l'Inde, il faut renoncer à toute certitude chronologique. Pour prendre un minimum, sans doute très inférieur à la réalité, en laissant derrière nous une marge peut-être immense de siècles nébuleux, ne reportons pas à plus de trois ou quatre mille ans l'épanouissement des Brahmanas ; nous constatons ainsi qu'existait à cette époque, au pied de l'Himalaya, une grandiose religion panthéiste et agnostique, qui plus tard devint ésotérique ; et c'est tout ce qui, pour l'instant, nous importe.

VIII

Et l'Égypte, dira-t-on, ses monuments et ses hiéroglyphes ne sont-ils pas bien plus anciens ? Écoutons sur ce point le très érudit égyptologue Le Page Renouf[3], une des grandes autorités en la matière. Il estime que les monuments égyptiens et leurs inscriptions ne peuvent servir de bases à des dates certaines ; que les calculs fondés sur le lever héliaque des étoiles n'est pas probant, attendu que dans les textes il est plus vraisemblable qu'il s'agit de leur passage que de leur lever. Mais il est convaincu que, d'après les calculs les plus modérés, la monarchie égyptienne existait déjà plus de 2.000 ans avant que l'*Exode* fût écrit ; or, l'*Exode* remonte probablement à l'an 1310 avant J.-C. ; et la date de la grande pyramide ne peut être reportée à moins de 3.000 ou 4.000 ans avant notre ère. Ces calculs, de même que ceux qui font commencer l'ère chinoise 2.697 ans avant J.-C., nous ramènent assez curieusement à l'époque assignée par les indianistes au développement de la pensée védique, développement qui suppose une période de gestation et de formation infiniment plus reculée. Ils n'impliquent pas du reste que la civilisation égyptienne, tout comme la civilisation hindoue, ne soit beaucoup plus ancienne. Un autre grand égyptologue, Léonard Horner, de 1851 à 1854, fit creuser dans la vallée du Nil, en divers endroits, quatre-vingt-quinze puits. On constate que la hauteur que le Nil ajoute chaque siècle à son lit d'alluvions est de 5 pouces, hauteur qui doit être moindre pour les couches inférieures, à cause de la pression ; or, jusqu'aux profondeurs de 75 pieds, on trouva des sculptures de granit, des figures humaines et animales, des mosaïques, des vases, des fragments de briques et de poteries (celles-ci aux grandes profondeurs). Comme il y a 12 pouces dans un pied, cela nous reporte à plus de 17.000 ou 18.000 ans. A une profondeur de 33 pieds 6 pouces on exhuma une tablette avec des inscriptions qui, d'après un calcul facile, avait par conséquent près de 8.000 ans. L'hypothèse de puits ou citernes, sur lesquels on serait tombé par hasard, doit être écartée, car le même fait s'est vérifié partout. Ces constatations, pour le dire en passant, donnent une fois de plus raison aux traditions occultistes, touchant l'antiquité de la civilisation humaine. Cette antiquité prodigieuse est en outre confirmée par les observations sidérales des anciens. Il existe par exemple un catalogue d'étoiles qu'on appelle le catalogue de Souryo-Shiddhanto ; or, les différences de position de huit de ces étoiles fixes, prises au hasard, démontrent que les observations de Souryo remontent à plus de 58.000 ans.

[3] P. Le Page Renouf, *Lectures on the Origin and Growth of Religion as illustrated by the Religion of Ancient Egypt.*

IX

Est-ce l'Inde ou l'Égypte qui fut l'héritière directe de la sagesse légendaire que nous léguèrent des peuples plus anciens, notamment les probables Atlantes ? Dans l'état présent de notre science, et sans tenir compte des traditions occultistes, il n'est pas encore possible de répondre.

Il y a moins d'un siècle on ignorait à peu près complètement l'Égypte antique. On ne la connaissait que par des ouï-dire et des légendes plus ou moins fantaisistes recueillies par des historiens tard venus et surtout par les divagations des philosophes et des théurgistes de l'époque Alexandrine. C'est seulement en 1820, que Jean-François Champollion, grâce au triple texte de la célèbre pierre hiéroglyphique de Rosette, trouva la clef de l'écriture mystérieuse qui couvre tous les monuments, tous les tombeaux et presque tous les objets de la terre des Pharaons. Mais la mise en œuvre de la découverte fut longue et pénible ; et ce n'est guère que quarante ans plus tard que l'un des plus illustres successeurs de Champollion, de Rougé, put dire qu'il n'y avait plus de texte égyptien qu'on ne fût à même de traduire. On déchiffra des documents sans nombre, et on acquit, quant au sens matériel de la plupart des inscriptions, une certitude presque définitive.

Néanmoins, il paraît de plus en plus probable que sous le sens littéral des inscriptions religieuses, s'en cache un autre qu'on ne peut pénétrer. C'est l'hypothèse à laquelle, en présence du flottement de bien des mots, aboutissent forcément les égyptologues les plus objectifs, les plus scientifiques, bien qu'ils ajoutent aussitôt que rien ne la confirme formellement. Il est donc extrêmement vraisemblable que sous la religion officielle enseignée aux profanes, il y en avait une autre réservée aux prêtres et aux initiés ; et l'hypothèse à laquelle sont contraints les savants, vient ici confirmer une fois de plus les assertions des occultistes, notamment celles des néo-platoniciens d'Alexandrie, au sujet des mystères égyptiens.

X

Quoi qu'il en soit, des textes sur l'authenticité desquels il n'y a pas le moindre doute, le *Livre des Morts*, les *Livres des hymnes*, le *Recueil des sentences morales* de Ptahhoteph, le plus ancien livre de la terre, puisqu'il est contemporain des Pyramides, et beaucoup d'autres, permettent de nous faire une idée très précise de la haute morale d'abord et surtout de la théosophie fondamentale de l'Égypte, avant que cette théosophie ne se corrompît pour donner satisfaction au vulgaire et ne se transformât en un monstrueux polythéisme, qui du reste fut toujours plus apparent que réel.

Or, plus les textes sont anciens, plus leurs enseignements se rapprochent de la tradition hindoue. Qu'ils soient antérieurs ou postérieurs à ceux-ci, la question est en somme secondaire ; ce qui est plus intéressant, c'est le problème de l'origine commune, origine unique et immémoriale, dont la probabilité s'accroît à chaque pas qu'on hasarde dans la préhistoire. Plus on remonte dans le temps, plus nettement se révèle l'accord sur les points essentiels. Voici, par exemple, l'idée que se faisait de Dieu la religion égyptienne à ses débuts. Nous en trouverons un peu plus loin l'original ou la réplique hindoue, de même que nous aurons l'occasion de confronter les deux théogonies, les deux cosmogonies et les deux morales qui sont évidemment les sources de toutes les théogonies, de toutes les cosmogonies et de toutes les morales de l'humanité.

Pour l'Égyptien qui a gardé la foi des origines, il n'y a qu'un seul Dieu, un Dieu unique. « Pas d'autre que lui. » — « Il est le seul être vivant en substance et en vérité. » — « Tu es seul et des millions d'êtres procèdent de toi. » — « Il a fait toutes choses et lui seul n'a pas été fait. » — « Partout et toujours, il est l'unique substance et il est inapprochable. » — « Il est l'un de l'un. » — « Il est hier, aujourd'hui et demain. » — « Il est Dieu se faisant Dieu, existant par lui-même, l'être double, c'est-à-dire, s'engendrant lui-même, générateur dès le commencement. »

« Voici plus de cinq mille ans, dit de Rougé, que dans la vallée du Nil commença l'hymne à l'unité de Dieu et à l'immortalité de l'âme... La croyance à l'unité du Dieu suprême et à ses attributs comme créateur et législateur de l'homme qu'il dota d'une âme immortelle, voilà les notions primitives, serties comme des diamants indestructibles dans les superfétations mythologiques accumulées par les siècles qui ont passé sur cette antique civilisation[4]. »

[4] DE ROUGE, *Annales de la Philosophie chrétienne*, t. XX, p. 327.

Assurément, il n'y a pas ici, dans la définition de la divinité, la pénétration, la subtilité et l'espace métaphysique, le bonheur d'expression, la magnificence verbale, le génie, en un mot, que nous trouverons dans les définitions hindoues. C'est que l'esprit égyptien est plus froid, plus sec, plus sobre, plus anguleux, plus réaliste, il a une imagination plus concrète, que l'inaccessible infini n'enflamme pas comme celle des peuples de l'Asie. Au surplus, ne perdons pas de vue que nous ne connaissons pas encore le sens secret qui se cache peut-être au fond de ces définitions. En tout cas, telles que nous les lisons, l'idée est la même et marque une même origine, que l'on peut, conformément aux traditions ésotériques et en attendant d'autres éclaircissements, appeler la pensée Atlantéenne. C'est une supposition que vient confirmer du reste le fameux passage du *Timée*, d'après lequel, au dire du prêtre égyptien qui parlait à Solon, l'Égypte aurait été, il y a 12.000 ans, une colonie Atlantéenne.

XI

Pour le Mazdéisme ou Zoroastrisme, la troisième des grandes religions, le problème de la filiation est plus simple, bien que celui des dates soit également compliqué. Zoroastre, ou plutôt l'un des Zoroastres, le dernier, aurait vécu, selon Aristote, au VIIe siècle avant notre ère. Pline le fait remonter à dix siècles avant Moïse, Hermippe de Smyrne, qui traduisit ses livres en grec, à 4.000 ans avant la prise de Troie et Eudoxe à 6.000 ans avant la mort de Platon.

La science moderne, comme le constate Édouard Schuré d'après les savantes études d'Eugène Burnouf, de Spiegel, de James Darmesteter et de Harlez, déclare qu'il n'est pas possible de fixer la date où vécut le grand philosophe iranien, auteur du *Zend-Avesta*, mais la recule en tout cas à 2.500 ans avant J.-C. Max Muller, de son côté, a fourni la preuve que Zoroastre ou Zarathustra et ses disciples avaient résidé dans l'Inde. « Plusieurs des dieux zoroastriens, ajoute-t-il, ne sont que des réflexions, des déflexions des dieux primitifs et authentiques des Védas. » Ici il n'y a donc pas le moindre doute au sujet de l'antériorité des livres hindous ; et en même temps est corroborée une fois de plus la fabuleuse antiquité de ces livres ou de ces traditions.

Ces observations préliminaires, dont le développement exigerait des volumes, suffisent, — et c'est ce qui nous intéresse pour l'instant, — à établir que l'enseignement qu'on retrouve dans la suite des temps au fond de toutes les religions, sous forme de mystères, d'initiation, de doctrine secrète, remonte, selon les calculs les plus timides, à des milliers d'années. Elles suffisent en tout cas à écarter la thèse assez puérile de ceux qui soutiennent qu'il est relativement récent et a subi l'influence des révélations judéo-chrétiennes. On ne défend plus sérieusement cette thèse ; mais on tourne la difficulté en disant : Oui, il y a des vérités de cette religion primitive et même des textes ayant date plus ou moins certaine, antérieurs à Moïse et à Jésus-Christ ; mais qui pourrait faire le départ des interpolations successives qui les ont transformés ?

Il existe dans l'Inde, paraît-il, plus de 1.200 textes des *Védas* et plus de 350 textes des *Lois de Manou*, sans compter ceux des livres sacrés que les Brahmes ne nous ont pas livrés, et il est incontestable que dans ces textes ou dans les enseignements qu'ils reproduisent, se trouvent d'évidentes interpolations. Il ne faut jamais perdre de vue que la religion orientale que nous appelons vulgairement et fort improprement le Bouddhisme, se divise en trois grandes périodes qui correspondent assez exactement aux trois périodes qu'on pourrait marquer dans le christianisme, à savoir le Védisme ou la religion primitive, que les Brahmanes commentèrent, compliquèrent et corrompirent enfin à leur profit et qui devint le Brahmanisme contre lequel se révolta et que réforma au Ve siècle avant J.-C. Siddharta Gautama Bouddha ou Çakya-Mouni.

Les indianistes, grâce surtout aux repères historiques que leur donne l'institution des castes, les changements de langue et de mètre, ont appris à démêler assez facilement, dans les textes suspects, ces trois courants ; et sous la luxuriance et l'enchevêtrement des interpolations, apparaissent toujours les grandes lignes et les vérités essentielles qui nous importent seules.

L'INDE

I

Voyons d'abord l'idée qu'en même temps que les Égyptiens, et beaucoup plus probablement avant eux, se faisaient de la divinité ces ancêtres dont les traditions ont au moins 5.000 ou 6.000 ans et qui eux-mêmes tenaient ces traditions de peuples aujourd'hui disparus, dont la dernière trace dans la mémoire des hommes, selon le *Timée* et le *Critias* de Platon, remonte à cent vingt siècles.

Je fais grâce au lecteur de l'inextricable nomenclature de la mythologie orientale, de la pullulation des dieux anthropomorphes que les prêtres de l'Inde, comme ceux de l'Égypte, de la Perse et de tous les temps et de tous les pays, furent forcés de créer pour répondre aux exigences de l'idolâtrie populaire. Je lui épargne également l'ostentation d'une érudition facile et prodigue de noms imprononçables, pour en venir directement et m'en tenir uniquement à la notion essentielle de la cause première, telle qu'on la trouve aux sources les plus reculées, et qui, peu à peu, si elle ne fut pas cachée au vulgaire ne fut plus comprise par lui, et devint le grand secret de l'élite des prêtres et des initiés.

Écoutons tout de suite le *Rig-Véda*, le plus authentique écho des plus immémoriales traditions, quand il aborde la question formidable :

> « Il n'y avait ni l'Être ni le Non-Être. Il n'y avait ni l'atmosphère, ni le ciel au-dessus. Qu'est-ce qui se meut ? En quel sens ? Sous la garde de qui ? Y avait-il des eaux et le profond abîme ?
>
> « Ni la mort n'était alors, ni l'immortalité. Le jour n'était pas séparé de la nuit. Seul, l'Un respirait, sans souffle étranger, de lui-même ; et il n'y avait rien d'autre que lui.
>
> « Alors s'éveilla en lui pour la première fois le désir ; ce fut le premier germe de l'esprit. Le lien de l'Être, ils le découvrirent dans le Non-Être, les sages s'efforçant, pleins d'intelligence, en leur cœur…
>
> « Qui sait, qui peut nous dire d'où naquit, d'où vint la création, et si les dieux ne sont nés qu'après elle ? Qui sait d'où elle est venue ?
>
> « D'où cette création est venue, si elle est créée ou non créée, celui dont l'œil veille sur elle du plus haut ciel, celui-là seul le sait, et encore le sait-il ?[5] »

[5] *Rig*, X, 129.

Est-il possible de trouver dans les annales humaines, paroles plus grandioses, plus chargées d'angoisse solennelle et qui rendent un son plus auguste, plus sacré et plus redoutable ? Est-il possible de trouver à la base de tout, aveu d'ignorance plus total et plus irréductible ; et du fond de notre agnosticisme que des milliers d'années ont agrandi, pourrions-nous en élargir l'horizon ? D'emblée il dépasse tout et va plus loin que nous n'oserons jamais aller de peur de désespérer, puisqu'il ne craint pas de se demander si l'Être suprême sait ce qu'il a fait, sait s'il a créé ou non et doute s'il a pris conscience de lui-même…

II

Écoutons ensuite le *Sama-Véda* confirmer et développer ce magnifique aveu d'ignorance :

> « Si tu dis : Je connais parfaitement l'Être suprême, tu te trompes ; qui pourrait dénombrer ses attributs ? Si tu dis : Je pense le connaître, non que je croie le connaître parfaitement ni ne pas le connaître du tout, mais je le connais partiellement ; car celui qui connaît toutes les manifestations des dieux qui procèdent de lui, connaît l'Être suprême, si tu dis cela tu te trompes, *ce n'est pas le connaître que de ne pas l'ignorer entièrement.*
>
> « Celui, au contraire, qui croit ne pas le connaître, c'est celui qui le connaît ; et celui qui croit le connaître, c'est celui qui ne le connaît pas. Il est regardé comme incompréhensible par ceux qui le connaissent le plus et connu parfaitement par ceux qui l'ignorent entièrement. »

A cet agnosticisme fondamental, l'*Yadjour-Véda* vient ajouter son panthéisme total :

> « Le sage fixe ses regards sur cet être mystérieux dans lequel existe perpétuellement l'univers qui n'a pas d'autre base que Lui. En Lui ce monde est enfermé, c'est de Lui que ce monde est sorti. Il est enlacé et tissu dans toutes les créatures sous les diverses formes de l'existence.
>
> « Cet être unique, que rien ne peut atteindre, est plus rapide que la pensée ; *et les dieux eux-mêmes ne peuvent comprendre ce moteur suprême qui les a tous devancés.* Il est loin et

près de toutes choses. Il remplit cet univers entier et le dépasse encore infiniment.

« Quand l'homme sait voir tous les êtres dans ce Suprême Esprit, et ce Suprême Esprit dans tous les êtres, il ne peut plus dédaigner quoi que ce soit.

« Ils sont tombés dans une nuit bien profonde ceux qui ne croient pas à l'identité des êtres ; ils sont tombés dans une nuit bien plus profonde encore ceux qui ne croient qu'à leur identité.

« Il gagne d'être immortel celui qui croit à l'identité éternelle des êtres.

« Tous les êtres sont dans ce Suprême Esprit, et ce Suprême Esprit est dans tous les êtres.

« Les êtres lui apparaissent tels qu'ils furent de toute éternité, toujours semblables à eux-mêmes. »

III

Nos ancêtres s'efforcèrent de creuser cet immense aveu d'ignorance, de peupler ce néant abyssal où l'homme ne pouvait respirer et cherchèrent à définir cet être suprême qu'une tradition plus préhistorique qu'eux-mêmes n'avait pas osé concevoir. Il n'est pas de spectacle plus passionnant que cette lutte de nos pères d'il y a soixante ou cent siècles contre l'Inconnaissable ; et, pour en donner une idée, je leur emprunte leur propre voix en ne reproduisant que les termes presque désespérés dont ils se servirent dans leurs livres sacrés les plus anciens et les plus authentiques, qu'il faut lire sans se laisser effrayer par l'incohérence des images qui est, comme le remarque Bergaigne, le pain quotidien de la poésie védique.

Dieu, nous disent-ils, est l'Être et le grand tout existant par lui-même, incognoscible et cause sans cause de toutes les causes. Il est l'ancien des anciens et l'inconnu de l'inconnu. Il est tout et dans tout, l'âme éternelle de tous les êtres, que nul ne peut comprendre. Il est la réunion de toutes les formes matérielles, intellectuelles et morales de l'universalité des êtres. Il est l'unique, le germe primordial, non révélé de tout, la profondeur inconnue, la substance increée de l'inconnu. « Non, non, est son Nom », et tout oscille perpétuellement entre « Tout est, rien n'est. » « La mer seule connaît la profondeur de la mer, l'espace seul connaît l'étendue de l'espace, Dieu seul peut connaître Dieu. » Il est le contenant inconnu de tout ; il est le non-être parce qu'il est l'Être absolu, quelque chose qui n'est rien tout en étant tout.

« Celui qui est et qui pourtant n'est pas, cause éternelle qui n'a pas d'être, l'Indécouvert et l'Indécouvrable, qu'aucune créature ne peut comprendre », dit Manou. Il n'est pas quelque chose, il n'est pas un être connu ou visible et l'on ne peut lui appliquer le nom d'aucun objet qui soit connu. Il est le caché des cachés, il est « Cela », le principe passif et latent. Le monde est son nom, son image ; mais son existence première qui contient tout en soi est seule réellement existante. Cet univers est lui, il vient de lui, il retourne en lui. Tous les mondes ne font qu'un avec lui, car ils ne sont que par sa volonté ; volonté éternelle et innée en toutes choses. Cette volonté se révèle dans ce que nous appelons la création, la conservation et la destruction de l'univers ; mais il n'y a pas de création à proprement parler, car tout existant en lui depuis toujours, la création n'est qu'une émanation de ce qui était en lui. Cette émanation rend simplement visible à nos yeux ce qui ne l'était pas. De même, il n'y a pas de destruction, celle-ci n'étant qu'une inhalation de ce qui avait été exhalé ; et cette inhalation ne fait à son tour que rendre invisible ce qui avait été vu ; car tout est indestructible, puisque tout n'est que la substance de l'Être suprême qui lui-même n'a ni commencement ni fin, dans l'espace et le temps.

IV

Avoir sondé aussi profondément et sur une telle étendue, dès ce que notre ignorance appelle les origines, le mystère infini de la cause première inconnaissable, suppose évidemment une civilisation, une accumulation de pensées, de méditations, une expérience, une contemplation et une pénétration de l'univers qui sont bien faites pour nous émerveiller et nous humilier. Nous regagnons à peine les sommets d'où descendirent ces idées où panthéisme et monothéisme se confondent et ne forment plus qu'un dans l'incommensurable inconnu. Et qui sait si nous les aurions regagnés sans leur aide ? Il y a moins d'un siècle, nous ignorions encore ces définitions dans leur netteté, dans leur grandeur originales ; mais elles s'étaient infiltrées partout, elles flottaient en débris sur les eaux souterraines de toutes les religions, et d'abord sur celles de la religion officielle de l'Égypte où le « Noun » est aussi inconnaissable que le « Cela » hindou, et où, selon la tradition occultiste, comme révélation suprême, à la fin de la dernière initiation, on jetait en courant, dans l'oreille de l'adepte, ces mots terribles : « Osiris est un dieu noir ! » c'est-à-dire un dieu qu'on ne peut pas connaître, qu'on ne connaîtra jamais !... Elles flottaient également sous la Bible, sinon sous celle de la Vulgate où elles deviennent méconnaissables, du moins sous celle d'hébraïsants comme Fabre d'Olivet qui lui ont, ou croient lui avoir restitué son sens véritable. Elles flottaient aussi sous les mystères de la Grèce qui n'étaient qu'une réplique déformée et pâlie des mystères égyptiens. Elles flottaient encore, et plus près de la surface, sous les doctrines des Esséniens qui, au dire de Pline, vécurent le long des rives de la Mer Morte pendant des milliers de siècles. « *Per sæculorum millia* » ce qui est évidemment exagéré. Elles flottaient dans la Kabbale, tradition des anciens initiés juifs, qui prétendent avoir conservé la loi orale que Dieu donna à Moïse sur le Sinaï et qui, transmise de bouche en bouche, fut écrite par les savants rabbins du Moyen âge. Elles flottaient sous les enseignements et les rêves extraordinaires des Gnostiques, héritiers probables des introuvables Esséniens, sous ceux des néo-platoniciens et sous le christianisme primitif, comme dans les ténèbres où se perdaient les malheureux Hermétistes médiévaux, parmi des textes de plus en plus mutilés et corrompus et des lueurs de plus en plus incertaines et dangereuses.

V

Voilà donc une grande vérité, la première de toutes, la vérité radicale, à laquelle nous sommes revenus : le caractère inconnaissable de la cause sans cause de toutes les causes. Mais cette cause ou ce Dieu, nous l'aurions toujours ignoré, ensevelis en lui, s'il ne s'était manifesté. Il fallait bien le faire sortir de son inactivité qui pour nous équivalait au néant, attendu que l'univers paraît avoir une existence et que nous-mêmes croyons vivre en lui. Dégagée de l'enchevêtrement des lianes théogoniques et théologiques qui bientôt l'envahirent de toutes parts, la cause première, ou plutôt la cause éternelle, — car n'ayant pas de commencement, elle ne peut être première ni seconde, — n'a jamais rien créé. Il n'y a pas eu de création vu que, de toute éternité tout existe en cette cause, sous une forme invisible à nos yeux, mais plus réelle que s'ils la voyaient, puisque nos yeux ne sont faits que pour voir l'illusion. Au point de vue de cette illusion, ce tout, qui existe toujours, apparaît ou disparaît selon un rythme éternel que scandent le sommeil et le réveil de la cause éternelle. « C'est ainsi, disent les *Lois de Manou*, que par un réveil et par un repos alternatifs, l'Être immuable fait revivre et mourir éternellement tout cet assemblage de créatures mobiles et immobiles[6]. » Il s'exhale ou il expire et l'esprit descend dans la matière qui n'est qu'une forme visible de l'esprit, et les mondes innombrables naissent, se multiplient et évoluent dans l'univers. Il s'inhale ou il aspire ; la matière rentre dans l'esprit qui n'est qu'une forme invisible de la matière, les mondes disparaissent, sans périr, et réintègrent la cause éternelle, pour en ressortir au réveil de Brahma, c'est-à-dire des milliards d'années après, pour y rentrer encore, au retour du sommeil, des milliards d'années plus tard ; et il en fut et il en sera toujours ainsi, de toute éternité, dans toute éternité, sans commencement, sans arrêt et sans fin.

[6] *Lois de Manou*, I, 57.

VI

C'est encore un immense aveu d'ignorance ; et ce nouvel aveu, si haut qu'on remonte, le plus ancien de tous, est aussi le plus profond, le plus complet et le plus grandiose. Cette explication de l'incompréhensible univers, qui n'explique rien parce qu'on n'explique pas l'inexplicable, est plus admissible que toutes celles que nous pourrions donner et peut-être la seule que nous puissions accepter sans nous heurter à chaque pas aux objections insurmontables et aux questions sans réponse de notre raison.

Ce second aveu, nous le trouvons à l'origine des deux religions-mères. En Égypte, même dans l'Égypte superficielle et exotérique que nous connaissons seule, et sans tenir compte du sens secret qu'ont probablement les hiéroglyphes, il prend une forme analogue. Il n'y a pas non plus création proprement dite, mais extériorisation d'un principe spirituel éternel et latent. Tout être et toute chose existent de toute éternité dans le « Noun », et y retournent après la mort. Le « Noun » est « l'abîme » de la Genèse ; un esprit divin indéfini y flotte, portant en lui la somme des existences futures, d'où son nom de « Toum », qui signifie à la fois Néant et Totalité. Quand « Toum » voulut fonder dans son cœur tout ce qui existe, il se dressa parmi ce qui était dans le Noun, hors du Noun et des choses inertes, et le soleil « Râ » exista, la Lumière fut. Mais il n'y avait pas trois dieux, l'abîme, l'esprit dans l'abîme, la lumière hors de l'abîme. Toum, extériorisé par la force de son désir créateur, est devenu Râ-soleil, sans cesser d'être Toum, sans cesser d'être Noun. Il dit de lui-même : « Je suis Toum, celui qui existait seul dans le Noun. Je suis le Dieu grand qui se crée lui-même, c'est-à-dire le Noun, père des dieux. » Il est la somme des existences des êtres. Et pour exprimer cette idée que le démiurge a tout créé de son propre fonds, le célèbre papyrus de Leyde explique : « Il n'existait pas d'autre dieu avant lui, ni d'autre dieu avec lui, quand il a dit ses formes, il n'existait pas de mère pour lui qui lui ait fait son nom (en Égypte nommer équivalait à créer), point de père pour lui qui l'ait émis en disant : « C'est moi qui t'ai créé[7]. »

[7] Cf. A. MORET, *Les Mystères égyptiens*, p. 110 et suiv., et PIERRET, *Études égyptologiques*, p. 414.

Pour créer, le dieu égyptien *pense* d'abord, puis *parle* le monde. (C'est déjà le Verbe, le fameux Logos des philosophes alexandrins que nous retrouverons plus tard.) Son intelligence suprême prend le nom de Phtah, son cœur, c'est-à-dire l'esprit qui l'anime, c'est Horus, et le Verbe, instrument de la création, c'est Thot. Nous avons ainsi : Phtah-Horus-Thot, démiurge-esprit-verbe, trinité dans l'unité Toum. Par la suite, comme dans les religions védique, perse et chaldéenne, le dieu suprême et inconnaissable est peu à peu relégué dans l'oubli, et l'on ne parle plus que de ses émanations innombrables dont les noms varient de siècle à siècle et parfois de ville à ville. C'est ainsi que dans le « Livre des Morts », Osiris qui devient le dieu le plus connu de l'Égypte dit qu'il est Toum.

Dans le Mazdéisme ou Zoroastrisme, qui n'est qu'une adaptation du Védisme au caractère Iranien, le dieu suprême n'est pas le créateur tout puissant qui pouvait faire le monde comme il le voulait ; il est soumis aux lois inflexibles de la cause première inconnue qu'il est peut-être lui-même. En Chaldée, carrefour où se rencontrent les religions de l'Inde, de l'Égypte et de la Perse, c'est encore la substance existant par elle-même, increéée, qui donne naissance à tout, ne créant pas parce que tout existe en elle, mais se manifestant périodiquement en reflétant son image dans le monde visible à nos yeux. Dans la Kabbale, dernier écho et contre-épreuve des enseignements ésotériques de la Chaldée et de l'Égypte, nous retrouvons le même aveu : l'esprit increé, éternel, incognoscible, incompris dans sa pure essence, contient en soi le principe de tout ce qui existe et ne se manifeste et ne se rend visible à l'homme que par ses émanations.

Enfin, si nous ouvrons la Bible, non plus dans sa traduction restreinte, superficielle et empirique, mais dans une version qui aille au fond du sens intime, essentiel et radical des mots hébreux, telle que celle que tenta Fabre d'Olivet, nous trouvons, au premier verset de la Genèse : « Premièrement-en-principe, c'est-à-dire avant tout, Il, Elohim, Lui-les-dieux, l'Être étant, créa, c'est-à-dire ne fit pas quelque chose de rien, mais tira d'un élément inconnu, fit passer du principe à l'essence, l'ipséité-des-cieux et l'ipséité-de-la-terre ».

« Et la terre existait, puissance contingente d'être, dans une puissance d'être ; et l'obscurité (force compressive et durcissante) était sur la face de l'abîme (puissance universelle et contingente d'être) ; et le souffle de Lui-les-dieux (force expansive et dilatante) était générativement mouvant sur la face des eaux (passivité universelle)[8]. »

[8] FABRE D'OLIVET, *La Langue hébraïque restituée*, t. II, p. 25-27.

N'est-il pas curieux de constater que cette traduction littérale nous ramène bien près de l'Inde, de l'idée du principe inconnu ; et plus près encore de la création hindoue : passage du principe à l'essence, expansion de l'être des êtres qui contient tout, et de l'extériorisation, à son réveil, de ce qu'il renfermait en puissance durant son sommeil ? Or, rappelons-nous qu'en 1875, Max Muller écrivait « Qu'il y a cinquante ans, il n'existait pas un seul lettré qui sût traduire une ligne du Véda ». Il faut donc croire, malgré l'affirmation du grand Orientaliste, ou que Fabre d'Olivet était capable de le traduire, ou qu'il en avait saisi l'esprit dans les traditions de la Kabbale, qu'il ne pouvait connaître que par la très incomplète et très infidèle *Kabbala Denudata* de Rosenroth, ou enfin que le texte hébreu, s'il dit réellement ce qu'il lui fait dire, comme tout semble le prouver, reproduit étrangement les principes hindous, car sa traduction, fruit de longs travaux antérieurs, parut en 1815, c'est-à-dire dix ou vingt ans avant qu'on eût appris à lire le sanscrit et les hiéroglyphes égyptiens.

VII

Est-il possible aujourd'hui, avec tout ce que nous croyons savoir, ou plutôt avec tout ce que nous savons enfin que nous ne savons pas, de donner de la divinité une idée plus vaste, plus profondément négative que celle qu'en donnèrent ces religions des débuts de l'humanité ; et qui réponde mieux à l'immense ignorance sans espoir où nous nous débattrons toujours au sujet de la cause première ; et ne nous trouvons-nous pas ici à d'énormes hauteurs au-dessus des dieux plus ou moins anthropomorphes qui succédèrent à l'inconnaissable suprême de la religion qui fut la mère méconnue de toutes les autres ? N'est-ce pas à son énigme sans nom que nous revenons enfin, après avoir erré si longtemps, perdu tant de siècles et tant de forces, commis tant d'erreurs et de crimes à la chercher où elle n'était pas, loin des cimes primitives sur lesquelles elle nous attendait depuis des milliers et des milliers d'années ?

VIII

Mais il fallait orner et peupler cet aveu d'ignorance, meubler ce néant sans bornes, animer cette abstraction qui dépasse les limites de l'entendement, et dont les hommes ne pouvaient se contenter. C'est à quoi s'évertuèrent toutes les religions, à commencer par celle qui d'abord l'avait osé faire.

J'écarte une fois de plus les broussailles des théogonies, simples à leur origine, mais bientôt inextricables, pour m'en tenir aux grandes lignes. Dans la religion primitive, nous l'avons déjà vu, la cause inconnue, à un moment donné, pris dans l'infini des temps, recommençant ce qu'elle fit de toute éternité, se réveille, se dédouble, s'objective, se reflète dans la passivité universelle, et devient, jusqu'au prochain sommeil, notre univers visible. De cette cause inconnue, existant par elle-même, qui se divise en deux parties pour rendre visible ce qui était latent en elle, naissent Brahma ou Nara, le père, Nari, la mère universelle, dont naît à son tour Viradj, le fils, l'univers. Cette triade primitive prenant ensuite une forme plus anthropomorphe, devient Brahma, le créateur, Vichnou, le conservateur, et Siva, le destructeur et régénérateur. En Égypte, c'est Noun, Toum, Râ, puis Phtah, Horus, Thot, qui deviennent ensuite Osiris, Isis et Horus.

A la suite de ces premières subdivisions de la cause inconnue, se précipite, à flots pressés, dans les panthéons primitifs, la foule des dieux qui ne sont que des émanations intermittentes, des délégations transitoires, des bourgeons éphémères de la cause première, des personnifications de plus en plus humaines de ses manifestations, de ses volontés, de ses attributs ou de ses facultés. Nous n'avons pas à les étudier ici, mais il est intéressant de marquer au passage les vérités profondes que rencontrent presque toujours ces cosmogonies et ces théogonies immémoriales et qui sont peu à peu confirmées par la science. Est-ce le seul hasard qui, par exemple, ait voulu que la terre émanât du chaos, se formât et se couvrît de vie, exactement dans l'ordre qu'elles indiquent ? Selon le livre de Manou, l'éther engendre l'air, l'air en se transformant engendre la lumière ; l'air et la lumière qui engendrent la chaleur produisent l'eau ; et celle-ci est la matrice de tous les êtres vivants. « Lorsque ce monde fut sorti de l'obscurité, dit le Bhâgavatâ Purana, contemporain du Véda selon les Hindous, les principes élémentaires subtils produisirent la semence végétale qui anima d'abord les plantes. Des plantes, la vie passa dans des corps fantastiques qui naquirent de la boue des eaux ; puis, par une série de formes et d'animaux différents, arriva jusqu'à l'homme. » — « Ils passèrent successivement par les végétaux, les vers, les insectes, les serpents, les tortues, les bestiaux et les animaux sauvages, tel est le degré inférieur », dit encore Manou, qui ajoute : « Les êtres acquièrent les qualités de ceux qui les précèdent, de telle sorte que plus un être est éloigné dans la série, plus il a de qualités[9]. »

[9] *Lois de Manou*, I, 20.

N'est-ce pas toute l'évolution darwinienne, confirmée par la géologie et prévue il y a au moins 6.000 ans ? D'autre part, n'est-ce pas à la théorie de l'« Akasha », que nous nommons plus grossièrement l'éther, source unique de tous les corps, que revient notre physique[10] ? Ces exemples, que l'on pourrait multiplier à l'infini, ne sont-ils pas troublants ? D'où venaient à nos ancêtres préhistoriques, dans une nuit et une déréliction qu'on s'imaginait épouvantables, ces intuitions extraordinaires, ces connaissances et ces certitudes que nous reconquerrons à peine ; et s'ils ont vu juste sur ces points que nous pouvons par hasard contrôler, n'y a-t-il pas lieu de se demander s'ils n'ont pas vu plus juste et plus loin que nous sur bien d'autres questions où ils sont aussi affirmatifs et qui jusqu'ici ont échappé à notre vérification ? Il est certain que pour en arriver où ils étaient, ils devaient avoir derrière eux un trésor de traditions, d'observations, d'expériences, de sagesse, en un mot, dont nous nous formons difficilement une idée ; mais à laquelle, en attendant mieux, nous devrions faire confiance un peu plus que nous ne le faisons, et dont nous pourrions tirer profit pour apaiser nos craintes, apprendre à connaître et à rassurer notre avenir d'outre-tombe et guider notre vie.

[10] Il est vrai que les récentes théories d'Einstein nient l'existence de l'éther et supposent que l'énergie rayonnante, la lumière visible par exemple, se propage d'une manière indépendante à travers l'espace vide *absolu.* Mais outre que ces théories semblent encore discutables, il convient de faire remarquer que l'éther scientifique auquel, jusqu'à Einstein, étaient forcés de recourir nos savants modernes, n'est pas exactement l'Akasha hindou, beaucoup plus subtil et plus immatériel, une sorte d'élément spirituel ou d'énergie divine, l'espace incréé, impérissable, infini.

IX

Nous venons de voir que les religions primitives et celles qui en dérivent s'accordent sur le caractère éternellement inconnaissable de la cause première ; et que leurs explications au sujet du passage du non-être à l'être, du passif à l'actif, du dédoublement générateur de la triade, sont à peu près les mêmes.

Remarquons ici l'étrange illogisme qui domine et répand son ombre sur tout le problème religieux. Les religions-mères, ou plutôt la religion-mère, enseigne que la cause des causes est inconnaissable, qu'il est impossible de la définir, de la comprendre, de l'imaginer ; qu'elle est « Cela » et rien de plus, le non-être, tout en étant l'être par excellence, éternel, infini, occupant tout le temps, tout l'espace qu'il est lui-même, n'ayant ni formes, ni volontés, ni attributs particuliers, puisqu'il les a tous. Or, de cet inconditionné, de cet absolu de l'absolu, dont on ne peut dire ce qu'il est, encore moins ce qu'il veut, de cette source même de l'indéfinissable et de l'incognoscible, elle fait sortir des émanations qui deviennent aussitôt des dieux parfaitement connus, parfaitement définis, agissant très nettement dans leurs sphères respectives, manifestant une puissance et une volonté personnelles, promulguant des lois et tout un code de morale auxquels il est enjoint à l'homme de se soumettre. Comment des êtres aussi complètement connus peuvent-ils sortir d'un être essentiellement inconnu ? Comment le tout étant inconnaissable, une partie de ce tout devient-elle subitement familière ? Dans cet inconcevable sans limites, seul admissible, car c'est à lui que nous ramène la science, où est le point d'où sortent les dieux qui nous sont imposés ? Où se trouvent le lien et le rapport ? Où est le lieu et le moment où s'opère l'incompréhensible miracle de la transubstantiation de l'incognoscible ? Où est la transition qui légitime ce formidable passage d'insondables ténèbres, non seulement au possible ou au probable, mais au connu décrit jusqu'en ses moindres détails ?

Ne semble-t-il pas que la religion-mère, et à sa suite toutes les autres qui ne sont que ses filles plus ou moins déguisées, ait arbitrairement bifurqué ou plutôt ait fait un saut immense et volontairement aveugle dans l'abîme de l'illogisme ? N'est-il pas possible qu'elle n'ait pas osé tirer toutes les conséquences de son redoutable aveu ; et ces conséquences, ne les aurait-elle pas déduites ailleurs, et précisément dans les enseignements secrets dont nous cherchons encore vainement les traces et dont la révélation rendait à jamais muets les grands initiés ?

X

C'est un soupçon qui revient plus d'une fois quand on approfondit ces religions, et qui expliquerait ce cri effrayant de la tradition occultiste, que nous avons déjà noté : « Osiris est un dieu noir ! » Le grand, le suprême secret serait-il un agnosticisme total ? Sans parler des enseignements ésotériques que nous ne connaissons pas, n'est-ce pas un aveu presque public que ce mot de « Maya », le plus mystérieux de l'Inde, qui veut dire que tout, l'univers et les dieux mêmes qui le créent, le maintiennent et le dirigent, n'est qu'illusion de l'ignorance, et que l'incréé et l'inconnaissable sont seuls réels ?

Mais quelle religion pouvait déclarer à ses fidèles : « Nous ne savons rien ; nous constatons simplement que cet univers existe ou du moins semble exister à nos yeux. Existe-t-il par lui-même, est-il dieu lui-même ou n'est-il que l'effet d'une cause plus reculée ? Et derrière cette cause plus reculée ne doit-on pas en supposer une autre encore plus reculée, et ainsi indéfiniment, jusqu'à la folie, car si Dieu est, qui a fait Dieu ?

« Qu'il soit cause ou effet, il importe assez peu à notre ignorance qui en tout cas demeure irréductible et dont les ténèbres sont simplement déplacées. De très anciennes traditions nous disent qu'il est plutôt la manifestation d'une cause plus inconcevable que lui. Nous acceptons cette tradition, plus inexplicable peut-être que l'énigme telle qu'elle s'offre à nos yeux, mais qui semble rendre compte de ce qui y paraît transitoire ou périssable et y substitue un fond éternel, immuable et purement spirituel. Ignorant tout de cette cause, nous devons nous borner à constater certaines habitudes, certains équilibres, certaines lois qui paraissent être ses volontés. Nous en faisons provisoirement des dieux. Mais ces dieux ne sont que des personnifications peut-être justes, peut-être illusoires, peut-être erronées, de ce que nous croyons avoir observé. Il est possible que d'autres observations plus exactes les détrônent. Il est possible qu'on s'aperçoive un jour que la cause inconnue, un peu mieux connue en quelque partie, voulait autre chose que ce que nous avions cru. Nous changerons alors les noms, les volontés, les lois de nos dieux. Mais en attendant, ceux que nous vous offrons sont nés d'observations et d'expériences si sages et si anciennes qu'il n'en est pas jusqu'à présent qui les surpassent. »

XI

S'il lui était impossible de parler ainsi à ses fidèles qui ne l'auraient pas comprise, elle pouvait révéler le secret aux derniers initiés que de longues épreuves avaient préparés et dont une sélection inhumainement rigoureuse attestait l'intelligence. Elle avouait donc tout à quelques-uns d'entre eux. Elle leur disait probablement : « En leur offrant nos dieux, nous n'avons pas voulu tromper les hommes. Si nous leur avions confessé que Dieu est inconnu et inconcevable, qu'on ne peut dire ce qu'il est, ce qu'il veut ; qu'il n'a ni forme, ni substance, ni résidence, ni commencement, ni fin, qu'il est partout et nulle part, qu'il n'est rien à force d'être tout, ils en auraient conclu qu'il n'existe point, qu'il n'y a ni lois ni devoirs et que l'univers est un immense abîme où chacun doit se hâter de faire ce qu'il lui plaît. Or, si nous ne savons rien, nous savons cependant que cela n'est pas, que cela ne peut pas être. Nous savons en tout cas que la cause des causes n'est pas matérielle, comme ils l'entendraient, car toute matière semble périssable, et elle ne pourra pas périr. Pour nous, cette cause inconnue est réellement notre Dieu, parce que notre intelligence est capable de la voir sur une étendue que notre imagination infirme peut seule limiter. Nous savons, avec une certitude que rien ne saurait ébranler, que cette cause, ou la cause de cette cause, et ainsi indéfiniment, doit exister, bien que nous sachions que nous ne pourrons jamais la connaître ni la comprendre. Mais fort peu d'hommes sont capables de se convaincre de l'existence d'une chose qu'ils ne pourront jamais voir, toucher, sentir, entendre, connaître ni comprendre ; c'est pourquoi, au lieu du néant qu'ils croiraient que nous leur proposons si nous leur disions à quel point nous ignorons tout, nous leur offrons comme guides, certaines apparences de volonté que nous avons cru discerner dans les ténèbres de la durée et de l'espace… »

XII

Cet aveu d'ignorance totale quant à la cause première, quant à l'essence du dieu des dieux, nous le trouvons également à la racine de la religion égyptienne. Mais il est fort possible qu'ayant été perdu de vue, — car les hommes n'aiment pas à s'attarder dans une ignorance sans espoir, — il ait été nécessaire de le refaire aux initiés, de le préciser, d'y insister, d'en développer les conséquences ; et qu'ainsi révélé dans toute son étendue, il soit devenu le fondement de la doctrine secrète. Nous constatons en effet que dans les théogonies subséquentes, on s'empressait d'oublier l'aveu enregistré aux premières pages des livres sacrés. On n'en tenait plus compte, on le refoulait dans la nuit des origines et de l'incompréhensible. Il n'en était plus jamais question ; et l'on ne s'occupait plus que des dieux qui en étaient issus, en oubliant toujours d'ajouter qu'émanés de l'indicible inconnu ils devaient nécessairement, par essence et par définition, participer de sa nature et être aussi inconnus, aussi inconnaissables que lui. Il se peut donc que l'enseignement secret réservé aux prêtres suprêmes les ramenât à une plus juste notion de la vérité primordiale.

A cet aveu aux initiés, on n'avait probablement pas à ajouter d'autres explications, vu qu'il détruit par la base toutes les explications possibles. Que pouvait-on, par exemple, leur dire au sujet de la première, de la plus redoutable de toutes les énigmes, à laquelle on se heurte immédiatement après celle de la cause des causes : l'origine du mal ? Les religions exotériques la résolvaient en dédoublant, en multipliant leurs dieux. C'était simple et facile. Il y avait des dieux de lumière qui représentaient et faisaient le bien ; et des dieux des ténèbres qui représentaient et faisaient le mal ; ils luttaient entre eux dans tous les mondes ; et si les dieux du bien étaient toujours les plus puissants, ils n'étaient cependant jamais complètement victorieux sur cette terre. Les types les plus nets de ce dualisme, nous les rencontrons dans la mythologie de l'Avesta, où ils prennent les noms d'Ormuzd et d'Ahriman ; mais sous d'autres vocables, sous d'autres formes et indéfiniment multipliés, nous les retrouvons dans toutes les religions et jusque dans le christianisme où Ahriman devient le prince des démons.

Mais que pouvait-on dire aux initiés ? Les théosophes modernes qui prétendent dévoiler au moins une partie des enseignements secrets, en subdivisant également les manifestations du principe inconnu, ne font que reproduire, sous une autre forme, les explications trop faciles de la religion exotérique et restent aussi loin qu'elle de la source de l'énigme ; et dans tout le domaine de l'occultisme, nous n'avons même pas l'ombre d'un commencement d'explication qui diffère autrement que par les termes de celles des religions officielles. Nous ne savons donc point ce qu'on leur révélait ; et il est assez probable que, de même que pour le mystère de la cause première, on était obligé de leur avouer qu'on ne savait rien. Vraisemblablement, on ne pouvait leur dire que ce que nous diraient les philosophies optimistes d'aujourd'hui, à savoir que le mal n'existe pas en soi, mais uniquement à notre point de vue, qu'il est purement relatif, que le mal moral n'est qu'une cécité, ou une fantaisie de notre entendement, et le mal physique une organisation défectueuse ou une erreur de notre sensibilité ; que la plus effroyable douleur n'est qu'une jouissance infidèlement traduite par nos nerfs, comme la jouissance la plus aiguë est déjà une douleur. C'est peut-être vrai ; mais le malheureux homme et surtout le malheureux animal qui n'a pour toute vie que celle-ci, quand cette vie, comme il arrive trop souvent, n'est qu'un tissu d'intolérables souffrances, a droit à quelques éclaircissements supplémentaires.

On les donnait en renvoyant aux existences successives, aux systèmes d'expiation et de purification. Mais ces éclaircissements, excellents quand on admet l'hypothèse de dieux intelligents dont on connaît les intentions, sont moins défendables lorsqu'il s'agit d'une cause inconnaissable à laquelle on ne peut attribuer une intelligence et une volonté sans nier qu'elle soit inconnue. Si l'on parvenait à fournir aux adeptes une autre explication qui s'imposât, elle devait renfermer la clef souveraine de l'énigme et ouvrir tous les mystères. Mais l'ombre même de cette clef chimérique n'est pas parvenue jusqu'à nous.

XIII

Tout branlants qu'en soient les fondements qui ne reposent que sur l'inconnaissable, il n'en reste pas moins que cette religion primitive nous a légué sur la constitution et l'évolution de l'univers, sur la durée des transformations des astres et de la terre, sur le temps, l'espace et l'éternité, sur les rapports de la matière et de l'esprit, sur les forces invisibles de la nature, sur les destinées probables de l'homme, et sur la morale, des enseignements incomparables. L'ésotérisme de toutes les religions, depuis l'Égypte peut-être et en tout cas depuis la Perse, la Chaldée, les mystères grecs, pour finir aux hermétistes du Moyen âge, profita de ces enseignements et en tira la partie la plus haute et la plus solide de son prestige, en les attribuant à une révélation secrète, jusqu'à ce que la découverte des livres sacrés de l'Inde en eût fait connaître la véritable source, et remis les choses au point. Au fond, l'ésotérisme ne fut jamais qu'une cosmogonie plus savante, une théogonie plus rationnelle, plus grandiose et plus pure, une morale plus élevée, que celle des religions vulgaires ; outre qu'il possédait, pour soutenir ou défendre ses doctrines, le secret péniblement transmis et souvent affreusement obscurci, de la manipulation de certaines forces oubliées. Aujourd'hui, il nous est possible de reconnaître, sous toutes les déformations, sous toutes les surcharges, sous tous les masques, parfois terriblement défigurés, le même visage. A ce point de vue, il est certain que depuis la publication et la traduction des textes authentiques, l'occultisme, tel qu'on l'entendait encore il n'y a guère plus de cinquante ans, a perdu les trois quarts de ses meilleures provinces. Il a notamment perdu presque tout intérêt doctrinal, hormis comme moyen de contrôle, puisqu'on peut étudier à la source même d'où il s'était parcimonieusement infiltré, tout ce qu'il enseignait secrètement au sujet de Dieu ou des dieux, au sujet de l'origine des mondes, des forces immatérielles qui le mènent, du ciel et de l'enfer tels que l'entendaient les Juifs, les Grecs et les Chrétiens, au sujet de la constitution du corps et de l'âme, des destinées de celle-ci, de ses responsabilités et de son existence d'outre-tombe.

Par contre, si ces textes anciens et authentiques, enfin traduits, nous prouvent que presque tout ce que l'occultisme affirmait au point de vue doctrinal n'était pas purement imaginaire mais reposait sur des traditions réelles et immémoriales ; ils nous permettent aussi de supposer que tout ce qu'il affirmait sur d'autres points, et notamment sur l'utilisation de certaines forces inconnues, n'est pas non plus purement chimérique ; et il regagne de ce côté ce qu'il perd de l'autre. En effet, si nous possédons les principaux livres sacrés de l'Inde, il est à peu près certain qu'il en est d'autres que nous ne connaissons pas encore, comme il est fort probable que nous n'avons pas pénétré le sens caché d'un grand nombre d'hiéroglyphes. Il se peut donc que les occultistes aient eu connaissance de ces écrits ou de ces traditions orales, par des infiltrations analogues à celles que nous avons pu constater. Il semble que l'on trouve des traces d'infiltrations de ce genre dans leur biologie, dans leur médecine, dans leur chimie, dans leur physique, dans leur astronomie et surtout dans tout ce qui touche à l'existence d'entités plus ou moins immatérielles qui paraissent vivre autour de nous. Sous ce rapport, l'occultisme garde encore un intérêt et mérite une étude attentive et méthodique qui pourrait efficacement seconder et peut-être rejoindre les travaux que les métapsychistes indépendants et scientifiques ont entrepris de leur côté, sur les mêmes sujets.

XIV

Quant à la tradition primitive, si elle a perdu le prestige d'être occulte, si d'autre part elle pèche par la base en tirant tous ses enseignements et toutes ses affirmations d'un fonds qu'elle-même a déclaré à jamais inaccessible, incompréhensible et inconnaissable, il n'en est pas moins vrai, abstraction faite de cette base défectueuse, que ces affirmations et ces enseignements sont les plus inattendus, les plus hauts, les plus admirables, les plus plausibles aussi et le plus fréquemment confirmés par les faits que l'homme ait connus jusqu'ici.

Avons-nous le droit, par exemple, d'écarter *à priori*, comme une imagination puérile et qui ne repose sur rien, la notion de la déchéance de l'homme, que nous ne pouvons vérifier, quand tout à côté d'elle, presque contemporaine, nous en rencontrons une autre, aussi générale, celle des déluges et des cataclysmes universels et préhistoriques, que la géologie a matériellement constatés ? A quelle vérité profonde répond cette légende d'une humanité supérieure, plus heureuse, plus intelligente que la nôtre ? Nous n'en savons rien jusqu'à ce jour ; mais nous ne savions pas davantage à quoi répondait la tradition des grandes catastrophes, avant que les annales de ces bouleversements, inscrites dans les entrailles de la terre, ne nous eussent révélé qu'ils avaient eu lieu. On pourrait citer un grand nombre d'enseignements de ce genre, intuitions géniales ou vérités immémoriales, dont la science retrouve les traces ou qu'elle rejoint aujourd'hui. J'ai déjà noté l'apparition successive des diverses formes de la vie, énumérées exactement dans l'ordre que leur assigne la paléontologie. Il faudrait y ajouter le rôle prépondérant de l'éther, ce fluide cosmique impondérable, transition de l'esprit à la matière, source de tout ce qui existe, que la religion primitive appelait Akasha, et qui, d'échos en échos, devient le Télesma de l'Hermès Trismégiste, le Feu vivant de Zoroastre, le Feu générateur d'Héraclite, l'Ignis subtillissimus d'Hippocrate, la Lumière astrale de la Kabbale, le Pneuma de Gallien, la Quinta essentia et l'Azoth des alchimistes, l'Esprit de vie de Saint Thomas d'Aquin, la Matière subtile de Descartes, le Spiritus subtillissimus de Newton, l'Od de Reichenbach et de Carl du Prel, « l'éther infini, mystérieux et toujours en mouvement, d'où tout sort, où tout rentre », auquel nos savants, dans leurs laboratoires, sont enfin obligés d'avoir recours afin de rendre compte d'une foule de phénomènes qui sans lui seraient absolument inexplicables. Tout ce que nos physiciens et nos chimistes appellent chaleur, lumière, électricité, magnétisme, n'était pour nos ancêtres que les manifestations élémentaires d'une substance unique. Ils avaient, il y a des milliers d'années, reconnu la présence et l'intervention souveraine de cet agent ubiquitaire dans tous les phénomènes de la vie ; de même qu'ils avaient décrit, avant nos astronomes, la naissance et la formation des astres ; de même encore que la prétendue chimère de la transmutation des métaux, qu'ils avaient léguée aux alchimistes du Moyen âge est également confirmée par l'évolution chimique et thermique des étoiles, « qui, comme le fait observer Charles Nordmann, nous offrent un exemple complet de cette transmutation, puisque les métaux les plus lourds n'y apparaissent qu'après les éléments légers et lorsqu'elles se sont suffisamment refroidies » ; de même enfin, car il faut nous borner, qu'à l'encontre de la science de naguères, ils avaient enseigné qu'il fallait porter à des millions de siècles la durée des mondes, les âges de la terre et le temps qui s'écoulera entre sa naissance et sa destruction, puisqu'un jour de Brahma, qui correspond à l'évolution de notre globe, compte quatre milliards trois cent vingt millions d'années.

XV

Sur une autre question plus grandiose et plus essentielle, car elle renferme la loi radicale de notre univers, ils ont également une tradition inattendue, dont l'humanité ne pourra jamais contrôler qu'une infime partie. Ils nous disent que le Cosmos, manifestation visible de la cause inconnue et invisible, n'a jamais été et ne sera jamais qu'une suite ininterrompue d'expansions et de contractions, d'évaporations et de condensations, de sommeils et de réveils, d'inspirations et d'expirations, d'attractions et de répulsions, d'évolutions et d'involutions, de matérialisations et de spiritualisations, « d'intériorisations et d'extériorisations », comme dit le Docteur Jaworski qui a retrouvé en biologie un principe analogue.

La cause inconnue se réveille ; et durant des milliards d'années, les mondes irradient, se dispersent, s'épandent, se dilatent dans l'espace ; elle se rendort, et les mêmes mondes, durant des milliards d'années, accourus de tous les points de l'horizon, s'attirent, se concentrent, se contractent et se coagulent, pour ne plus former, sans périr, car rien n'est périssable, qu'une masse unique qui rentre dans la cause invisible. Nous sommes précisément dans une de ces périodes de contraction ou d'inhalation, à laquelle préside cette immense et mystérieuse loi de la gravitation, dont rien ne peut rendre compte, si elle n'est pas électrique, magnétique ou spirituelle, et qui domine toutes les autres lois de la nature. Si tous les corps, selon Newton, s'attirent mutuellement en raison directe de leur masse et en raison inverse du carré de leurs distances, depuis l'éternité sans commencement, toute la matière de l'univers ne devrait plus former qu'un bloc infini, à moins de supposer un équilibre parfait et inébranlable qui serait l'immobilité éternelle. Dans le mouvement perpétuel des astres, où le déplacement irrégulier d'un atôme le troublerait, il ne paraît pas possible que cet équilibre puisse exister. En fait, il est à peu près certain qu'il n'existe pas, et l'Apex, le lieu mystérieux de la sphère céleste, dans le voisinage de Véga, vers lequel se précipite notre système solaire avec tout son cortège de planètes, sera peut-être, pour ce qui nous regarde, son point de rupture et l'une des premières phases de la grande contraction, qui selon les derniers calculs des astronomes, aura lieu dans 400.000 ans.

Mais si cette formidable contraction doit presque inévitablement se produire, l'univers, quelque jour, ne sera plus qu'un monstrueux bloc de matière, compact, infini, et probablement à jamais mort, hors duquel il ne serait plus possible de placer quelque chose. Ce bloc illimité, formé de toute la matière cosmique, même du fluide éthérique et presque spirituel qui remplit les fabuleuses étendues interstellaires, occuperait-il tout l'espace, définitivement et à jamais coagulé dans la mort ; ou flotterait-il dans un vide plus subtil que celui de l'éther et désormais soumis à d'autres volontés ? Il semble que la loi fondamentale de l'univers aboutisse à une sorte d'anéantissement, d'impasse ou de non-sens ; et d'autre part, si on nie cette attraction ou cette gravitation universelle, on nie le seul phénomène que l'on constate avec certitude, et on laisse tous les mondes absolument sans lois.

XVI

L'imagination, l'intuition, les observations ou les traditions de nos ancêtres ont dépassé ce point mort. Ils ont, sous leur phraséologie mythique ou mystique, considéré l'univers comme un phénomène électrique, ou plutôt comme une immense source d'énergie subtile et inconnaissable, qui obéit aux mêmes lois que celles de l'énergie magnétique, où tout est action et réaction, où il y a toujours deux forces affrontées et antagonistes ; et renversant les pôles de l'aimant, à l'attraction ils font succéder la répulsion, à la force centripète une force centrifuge, à la gravitation une autre loi qui n'a pas encore de nom, qui disperse à nouveau la matière et les mondes, pour recommencer une nouvelle journée de Brahma. C'est le *solve et coagula* des alchimistes.

Ce n'est évidemment qu'une hypothèse dont on ne peut étayer quelques côtés que sur certains phénomènes électriques et magnétiques, et sur les propriétés des corps radio-actifs, mais dont l'ensemble est naturellement invérifiable. Seulement, il est curieux de constater une fois de plus que cette hypothèse, la plus grandiose, la plus hardie, et aussi la plus ancienne, la première de toutes, est peut-être la seule à laquelle la science puisse se rallier sans déroger. Ici encore, ne sommes-nous pas en droit de nous demander s'ils n'ont pas vu plus juste et plus loin que nous, et si nous sommes capables d'imaginer une cosmogonie aussi vaste, aussi vraisemblable que la leur ?

XVII

Si de ces hauteurs nous redescendons à l'homme, nous retrouvons des intuitions ou des certitudes aussi remarquables. Sans nous aventurer dans la complexité de subdivisions du reste postérieures, qui nous entraînerait trop loin, bornons-nous à dire que dans tous les enseignements primitifs, qui concordent merveilleusement, l'homme se compose de trois parties essentielles : un corps physique périssable, un principe spirituel, ombre ou double astral, également périssable, mais beaucoup plus durable que le corps, et un principe immortel qui, après des évolutions plus ou moins longues, retourne à son origine qui est Dieu. Or, on peut constater que dans les phénomènes de l'hypnose, du magnétisme, du médiumnisme et du somnambulisme, dans tout ce qui touche à certaines facultés extraordinaires du subconscient qui semblent indépendantes du corps physique, de même que dans certaines manifestations d'outre-tombe qui ne sont plus guère niables, nos sciences métapsychiques sont en quelque sorte forcées d'admettre l'existence de ce double astral qui déborde de toutes parts l'entité physique, peut la quitter, s'en séparer, agir indépendamment et loin d'elle ; et probablement lui survivre, ce qui semble donner raison, une fois de plus, et sur un point extrêmement important, aux intuitions presque préhistoriques de nos ancêtres hindous et égyptiens.

XVIII

On pourrait, comme je l'ai trop souvent répété, multiplier ces exemples ; et chaque fois que notre science vient ainsi confirmer une de ces intuitions ou de ces traditions, il serait sage de jeter un regard plus confiant sur celles qui attendent encore cette confirmation. Plus il y aura de points sur lesquels il est démontré qu'elles ne se sont pas trompées, plus il y aura de chances pour qu'elles ne se soient pas trompées davantage sur ceux qui sont encore invérifiables. Souvent ce sont les plus importants et qui nous touchent le plus directement, le plus profondément. Ne tirons pas encore de conclusions trop générales ou trop hâtives ; mais que ces premières confirmations ou commencements de confirmations nous engagent à accorder un crédit provisoire et attentif aux autres hypothèses. Quand nous aurons définitivement réglé ces premiers points, nous ne serons pas au bout de nos peines ; mais nous nous trouverons beaucoup plus loin que nous n'étions, et c'est tout ce que nous sommes en droit d'exiger ou d'espérer de n'importe quel système religieux ou philosophique et même de n'importe quelle science ; sans compter que la moindre avance ici, qui est le centre de tout, a des conséquences incomparablement plus grandes qu'une avance sur le diamètre ou la circonférence ; car c'est de ce centre ou de ce moyeu que partent tous les rais de l'immense roue dont la science n'a guère étudié que la périphérie.

Il faut admettre une fois pour toutes, qu'on ne peut rien comprendre ni expliquer, sinon, on ne serait plus un homme mais un dieu ; ou plutôt le seul Dieu. Hors quelques constatations mathématiques et matérielles, dont au demeurant on ne pénètre pas l'essence, tout n'est qu'hypothèse. C'est donc uniquement sur des hypothèses que nous avons à régler notre vie, en ne comptant pas sur des certitudes qui probablement ne viendront jamais. Il importe donc de bien choisir nos hypothèses vitales, de ne prendre que les plus hautes, les meilleures et les plus plausibles ; et nous voyons que ce sont presque toujours les plus anciennes. Dans la hiérarchie des évolutions, nous ne connaîtrons jamais l'être central ou suprême, ni sa pensée dernière ; mais cela n'empêche pas que nous ne devions tâcher à savoir beaucoup plus que nous ne savons. Si nous ne pouvons tout connaître, ce n'est pas une raison pour nous résigner à ne connaître rien ; et si d'autres sciences que la science proprement ou improprement dite, peuvent nous aider, nous faire aller plus vite et plus loin, il est profitable de les interroger ou du moins de ne pas les rejeter d'avance et sans examen, comme on l'a fait trop souvent et trop légèrement jusqu'ici.

XIX

Parmi ces affirmations et ces enseignements incontrôlables, ne retenons que ceux qui nous intéressent le plus, notamment ceux qui ont trait à la conduite de notre vie, aux sanctions, aux responsabilités, aux récompenses et à la morale qui en découle, aux mystères de la mort, à l'existence d'outre-tombe et aux destinées finales de l'homme.

Jusqu'à présent, presque tous les enseignements qui portent sur ces points étaient, pour nous Européens, ésotériques et se cachaient dans les replis de la Kabbale et de la Gnose, héritières traquées, hagardes et obscures de la sagesse hindoue, égyptienne, persane et chaldéenne. Mais depuis la lecture des textes sanscrits, ils ne le sont plus, du moins dans leurs parties essentielles, car bien que, comme je l'ai déjà dit, nous soyons loin de connaître tous les livres sacrés de l'Inde et peut-être plus loin encore d'avoir saisi le sens secret des hiéroglyphes, il est néanmoins peu probable que de nouvelles révélations ou des éclaircissements plus complets soient de nature à bouleverser sérieusement ce que nous savons.

XX

Aucune règle de conduite, aucune morale ne pouvait être tirée de la cause première inconnaissable, du Dieu unique et non manifesté. Il est en effet impossible de connaître ce qu'il veut, puisqu'il est impossible de le connaître lui-même. Pour trouver une volonté dans l'infini, dans l'univers ou dans la divinité, nous sommes obligés de nous jeter dans l'invérifiable et de franchir l'abîme d'illogisme dont nous avons déjà parlé, en faisant procéder de cette cause qui pour se manifester s'est divisée, un ou plusieurs dieux, émanations de l'inconnaissable qui deviennent subitement aussi connues que si elles étaient sorties des mains de l'homme. Il est certain que la base de la morale qui découlera de cette opération arbitraire, sera toujours précaire et ne s'offre que comme un postulat sur lequel il faut fermer les yeux. Mais il est remarquable qu'après cette opération préliminaire, ou concurremment avec elle, dans toutes les religions primitives, nous en trouvions une autre qui en est comme la conséquence nécessaire et en tout cas constante : le sacrifice volontaire de l'une de ces émanations de l'inconnaissable, qui s'incarne, renonce à ses prérogatives, afin de diviniser l'homme en humanisant Dieu.

L'Égypte, l'Inde, la Chaldée, la Chine, le Mexique, le Pérou, tous ont le mythe de l'enfant-dieu, né d'une vierge ; et le premier jésuite missionnaire en Chine trouva que la naissance miraculeuse du Christ avait été anticipée par Fuh-Ke, né 3468 ans avant J.-C. On a très justement fait remarquer que si un prêtre de l'antique Thèbes ou d'Héliopolis revenait sur cette terre, il reconnaîtrait, dans le tableau de la Vierge à l'enfant de Raphaël, l'image d'Horus dans les bras d'Isis. L'Isis égyptienne, comme notre vierge immaculée, était également représentée debout sur un croissant et couronnée d'étoiles. Devaki nous est pareillement montrée tenant dans ses bras le divin Krichna ou Krischna, comme l'est Istar, à Babylone, l'enfant Tammuz sur ses genoux. Le mythe de l'incarnation, qui est aussi un mythe solaire, se répète ainsi d'âge en âge, sous des noms différents, mais c'est dans l'Inde où il est à peu près certain qu'il prit naissance, que nous le retrouvons sous sa forme la plus pure, la plus élevée et la plus significative.

XXI

Sans nous attarder aux discutables incarnations des Hermès, des Manous et des Zoroastres, qu'il est impossible de contrôler historiquement, parmi les nombreuses incarnations de Vichnou, la seconde personne de la trinité brahmanique, ne rappelons que les deux plus célèbres, la huitième, celle de Krichna, et la neuvième, celle du Bouddha. Pour dater approximativement la première, nous avons le Bhagavat-Gita, qui met en relief l'admirable figure de Krichna. Les indianistes catholiques sentant le danger qu'à leur point de vue trop étroit, l'incarnation de Krichna fait courir à celle du Christ, admettent que le Bhagavat-Gita fut composé avant notre ère, mais soutiennent qu'il fut remanié depuis. Comme il est difficile de prouver ces remaniements, ils ajoutent qu'au surplus, s'il est démontré que le Bhagavat-Gita et d'autres livres sacrés aussi gênants sont réellement antérieurs au Christ, ils sont l'œuvre du démon qui, prévoyant l'incarnation de Jésus, avaient voulu, par ces préfigurations, en énerver l'effet. Quoiqu'il en soit, des indianistes purement scientifiques, tels que William Jones, Colebrooke, Thomas Strange, Wilson, Princeps, etc., s'accordent à reconnaître qu'il remonte au moins à douze ou quinze siècles avant notre ère. Il est en effet commenté et analysé dans le Madana-Ratna-Pradipa, recueil des textes des plus anciens législateurs, dans Vrihaspati, dans Parasara, dans Narada et dans une foule d'autres ouvrages d'une incontestable authenticité. Selon d'autres orientalistes, pour tout dire, les poèmes sur Krichna ne remontent pas au delà du Maha-Bharata, ce qui nous reporte en tout cas à deux siècles avant J.-C.

Quant à l'incarnation de Siddharta Gautama Bouddha ou Çakya-Mouni, il n'y a plus de doute possible, Çakya-Mouni étant un personnage historique qui vécut au V siècle avant J.-C.

XXII

Tout ceci du reste est suffisamment connu et il serait inutile d'insister. Mais quel peut être le sens secret d'un mythe aussi immémorial, aussi unanime, aussi déconcertant ? La cause inconnue de toutes les causes, se subdivisant, descendant des hauteurs de l'inconcevable, se sacrifiant, se limitant et devenant homme pour se faire connaître aux hommes ? Toutes les interprétations qu'on en pourrait donner ne seraient-elles pas déraisonnables si l'on ne veut pas voir sous cet incompréhensible mythe un nouvel aveu, cette fois plus détourné, mieux déguisé, plus profondément caché de l'agnosticisme fondamental, de l'ignorance sublime et invincible des grands instructeurs primitifs ? Ils savaient que de l'inconnaissable ne peut naître que l'inconnu. Ils savaient que l'homme ne pourrait jamais connaître Dieu, et c'est pourquoi, ne cherchant plus du côté où tout espoir était forclos, ils vont droit à l'homme qui est la seule chose qu'ils connaissent. Ils se disent : il nous est impossible de savoir ce qu'est Dieu, où il est, ce qu'il veut ; mais nous savons qu'étant partout et qu'étant tout, il est nécessairement dans l'homme et qu'il est l'homme ; ce n'est donc que dans l'homme et par l'homme que nous pouvons découvrir sa volonté. Sous le symbole de l'incarnation, ils cachent ainsi la grande vérité que toutes les lois divines sont humaines ; et cette vérité n'est que le revers d'une autre vérité aussi grande, à savoir que dans l'homme se trouve le seul dieu que nous puissions connaître.

Dieu se manifeste dans la nature ; mais il ne nous a jamais parlé que par la bouche des hommes. Ne cherchez pas ailleurs, dans les espaces infinis et inaccessibles, le Dieu dont vous êtes inquiets ; c'est en vous qu'il se cache, c'est en vous que vous devez le découvrir. Il est en vous autant qu'en ceux où il paraît s'être incarné d'une façon plus éclatante. Tout homme est Krichna, tout homme est le Bouddha ; il n'y a entre le dieu qu'ils incarnent en eux et celui qui s'incarne en vous-même, aucune différence, mais ils ont su l'y retrouver mieux que vous. Imitez-les, vous serez leur égal ; et si vous ne pouvez les suivre, écoutez du moins ce qu'ils vous disent, car ils ne peuvent vous dire que ce que vous dirait le dieu qui est en vous, si vous aviez appris à l'écouter comme ils l'ont écouté.

XXIII

Voilà le fond de toute la religion védique et de toutes les religions ésotériques qui en dérivent. Mais à sa source, la vérité est à peine enveloppée de symboles ou de mythes transparents. Elle n'a rien de secret, souvent même elle s'affirme hautement, sans réticences et sans voiles. « Quand tous les autres dieux ne sont plus que des noms qui s'évanouissent, dit Max Muller, il ne reste plus que l'*Atman*, le moi subjectif, et *Brahma*, le moi objectif, et la science suprême s'exprime dans ces mots : *Tat twam*, *Hoc tu*, « Tu es cela », toi, ton moi véritable, ce qu'on ne peut t'arracher quand disparaît tout ce qui avait semblé tien pour un temps. Quand tout ce qui avait été créé s'évanouit comme un rêve, ton moi réel appartient au moi éternel ; l'*Atman*, la personne qui est en toi est le vrai Brahma. Ce Brahma dont la naissance et la mort t'avaient un instant séparé, mais qui te reçoit de nouveau dans son sein, aussitôt que tu reviens à lui[11]. »

[11] MAX MULLER, *Origine de la Religion*, p. 321.

« Le Rig-Véda ou le Véda des hymnes, le vrai Véda ou le Véda par excellence, dit encore Max Muller, finit dans les Upanishads, ou, comme on les appela plus tard, dans le Védanda. Or, la note dominante des Upanishads, c'est le « Connais-toi toi-même », c'est-à-dire connais l'être qui est le support de ton Moi et apprends à le trouver et à le reconnaître dans l'Être éternel et suprême, l'Un sans second, qui est le support du monde entier. »

« Le culte à sa dernière hauteur, celui du Vanaprastha, c'est-à-dire du vieillard, de l'homme qui a payé ses trois dettes, qui a vu « le fils de son fils », et se retire dans la forêt, devient purement mental et, à la fin, l'examen de soi-même, au sens le plus profond du mot, c'est-à-dire la reconnaissance du moi individuel avec le moi éternel, devient la seule occupation qui lui soit encore permise[12]. »

[12] *Ibid.*, p. 313.

« Cherche le Moi caché dans ton cœur », dit le *Mahabharata*, dernier écho des grands enseignements, « Brahma, le vrai Dieu, c'est toi-même ». Tel est, répétons-le, le fond de la pensée védique ; et c'est de cette pensée que découle tout le reste. Pour la retrouver, nous n'avons nullement besoin de la théosophie moderne qui n'a fait que l'étayer de textes moins connus et d'une authenticité moins certaine. Jamais elle ne fut secrète, mais par sa grandeur même, elle échappait aux yeux de ceux qui ne pouvaient la comprendre ; et peu à peu, à mesure que se multipliaient les dieux et qu'ils se mirent à la portée des hommes, elle fut perdue de vue. Sa hauteur seule la rendit ésotérique. Aux temps héroïques du védisme, où presque tous, après avoir accompli leurs devoirs envers leurs parents et leurs enfants se retiraient dans la forêt pour y attendre tranquillement la mort, rentrer en eux-mêmes et y chercher le dieu caché avec lequel ils allaient bientôt se confondre, elle était la pensée de tout un peuple. Mais les peuples ne restent pas longtemps fidèles aux sommets. Afin de ne pas perdre tout contact avec eux, elle dut descendre, masquer son visage, se mêler à la foule sous mille déguisements. Néanmoins, nous la retrouvons toujours sous les voiles de plus en plus épais dont elle se couvre. « L'homme est la clef de l'univers », proclamait encore l'axiome fondamental des hermétistes du Moyen âge, d'une voix étouffée sous le fatras de textes illisibles et de grimoires indéchiffrables, comme Novalis, sans peut-être se douter qu'il retrouvait une vérité vieille de plusieurs milliers d'années, presque aussi vieille que le monde, la répétait une dernière fois, sous une forme à peine altérée, en nous apprenant que « notre premier devoir est la recherche de notre moi transcendental ».

Abandonnés dans un univers infini où nous ne pouvons rien connaître que nous-mêmes, n'est-ce pas, en effet, la seule vérité qui surnage, la seule qui ne soit pas illusoire, la seule aussi que nous puissions, après tant d'interprétations erronées où nous ne l'avions pas reconnue, après tant de mésaventures, encore espérer de rejoindre ?

XXIV

Dieu ou la cause première est inconnaissable ; mais étant partout, il est nécessairement en nous ; c'est donc en nous-mêmes que nous pouvons découvrir ce qu'il nous importe d'en connaître. Voilà les deux points d'appui de la voûte qui soutient la religion primitive et toutes celles, ou du moins la doctrine réelle mais secrète de toutes celles qui en dérivent, c'est-à-dire de toutes celles que nous connaissons, hors le fétichisme de peuplades tout à fait barbares. Elle les avait trouvés dès l'origine, ou plutôt dès ce que nous appelons l'origine qui devait avoir derrière soi un passé de milliers, peut-être de millions d'années. Nous n'en avons pas trouvé d'autres, nous n'en trouverons jamais d'autres, à moins d'une révélation impossible, sinon en principe du moins en fait ; car rien qui n'est pas humain ou divinement humain ne peut parvenir jusqu'à nous. Nous sommes revenus au point d'où nos ancêtres étaient partis ; et le jour où l'humanité en atteindra un autre, sera le jour le plus extraordinaire qui, depuis la naissance de ce monde, ait éclairé notre planète.

Les incarnations de Dieu, dans la pensée religieuse primitive, ne sont donc que des extériorisations périodiques et sporadiques, des manifestations éclatantes, synthétiques et exceptionnelles du Dieu qui est en tout homme. Cette incarnation est universelle et latente en chacun de nous ; mais si l'incarnation est regardée comme un privilège pour l'homme en qui elle s'opère, elle est considérée comme un sacrifice de la part de Dieu. Vichnou s'est volontairement sacrifié en descendant dans Krichna et dans le Bouddha. S'est-il également sacrifié en descendant dans les autres hommes ? D'où vient cette idée de sacrifice ? Elle est assez mystérieuse et remonte sans doute à de très antiques traditions ; en tout cas, elle ne paraît pas purement rationnelle comme les deux précédentes. On n'explique nulle part pourquoi il est nécessaire qu'une émanation de Dieu redescende dans l'homme qui est déjà une émanation divine. Il y a là un hiatus que ne comble pas le mythe de la déchéance originelle qui reste également inexpliqué. A moins que l'idée en question ne repose tout simplement sur cette constatation que tout homme qui dépasse les autres, qui voit plus haut et plus loin qu'eux et leur enseigne ce qu'ils ne peuvent pas encore comprendre, est forcément méconnu, persécuté, sacrifié et malheureux.

XXV

Cette idée, explicable ou non, n'en est pas moins très importante, car c'est elle qui semble avoir aiguillé la morale primitive sur l'une des voies principales qu'elle a suivies. En effet, la notion de l'inconnaissable, si elle élargissait la pensée courageuse qui s'aventurait sur ses pics dénudés, ne pouvait donner que des enseignements négatifs. Elle écartait assurément les petits dieux anthropomorphes et presque toujours malfaisants ; mais ne laissait à leur place qu'un vide immense et silencieux. D'autre part, le panthéisme, aussi vaste que l'agnosticisme, apprenait, il est vrai, que Dieu étant partout et tout étant Dieu, tout devait être aimé et respecté ; mais il s'ensuivait que le mal, ou du moins ce que l'homme est forcé d'appeler le mal, étant divin comme le bien, devait être aimé et respecté à l'égal de celui-ci. L'idée était trop nue, trop illimitée, survoûtait trop gigantesquement les deux pôles de l'univers, pour que l'homme osât s'y engager et y pût choisir un chemin.

Enfin, la recherche du dieu caché en chacun de nous, qui est un des corollaires de ce panthéisme, si elle était laissée sans direction, ne pouvait aboutir qu'à des conséquences dangereuses. Il y a en nous toutes espèces de dieux ou toutes espèces d'instincts, de pensées, de désirs, de passions que l'on peut prendre pour des dieux ; il y en a de bons et de mauvais ; et les mauvais sont souvent plus nombreux et en tout cas plus faciles à trouver que les bons. Le vrai Dieu, le plus haut, le plus immatériel, ne se révèle qu'à quelques-uns. Ce Dieu ainsi révélé, qui n'est en somme que les meilleures pensées des meilleurs d'entre nous, il fallait appeler sur lui l'attention des autres hommes ; le leur faire connaître et le leur imposer ; et c'est peut-être ainsi que cet étrange mythe qui n'est probablement au fond que la reconnaissance d'un phénomène humain et naturel, s'est peu à peu insinué, puis implanté et développé. Il est en effet assez vraisemblable que, comme tout ce qui a rapport à l'évolution des hommes, il n'ait pas surgi tout d'un coup d'un cerveau unique, mais se soit dégagé confusément et précisé lentement, au cours de tâtonnements et de siècles sans nombre.

XXVI

Sans nous arrêter davantage à cet énigme, bornons-nous à constater l'influence qu'elle eut sur la morale primitive, en l'orientant dès le début vers d'autres cimes que celles que lui montrait l'intelligence. A son défaut, la morale primitive qui croyait écouter un Dieu caché, mais n'entendait en somme que la raison humaine, n'eût été qu'une morale cérébrale et eût pu dévier vers une contemplation stérile ou vers un rationalisme froid, rigide, austère et implacable ; car la raison seule, même quand elle s'élève très haut et qu'on la prend pour la voix de Dieu, ne suffit pas à guider les hommes vers les sommets de l'abnégation, de la bonté et de l'amour. L'exemple d'un sacrifice initial courba sa rigueur et la lança dans une autre direction et vers un but qu'elle eût peut-être fini par entrevoir, mais n'eût atteint que beaucoup plus tard et après d'innombrables et cruelles erreurs.

Est-ce sur ce mythe de l'incarnation que se greffe le dogme, — bien qu'il n'y ait pas à proprement parler de dogmes dans les religions orientales, — de la réincarnation où se trouvent toutes les sanctions et toutes les récompenses de la religion primitive ? Le principe essentiel de l'homme, le support de son moi étant divin et immortel, après la disparition du corps qui l'avait momentanément séparé de son origine spirituelle, doit logiquement retourner à cette origine. Mais d'autre part, le dieu caché, par l'intermédiaire des grandes incarnations, ayant introduit dans la morale la notion du bien et du mal, il ne paraissait pas admissible que l'âme, qui n'avait pas écouté sa propre voix ou celle des divins instructeurs et s'était plus ou moins souillée dans la vie, pût rentrer d'emblée et sans purification préalable dans l'océan immaculé de l'esprit éternel. De l'incarnation à la réincarnation il n'y avait qu'un pas qui fut sans doute presque inconsciemment franchi ; et de la réincarnation aux réincarnations et aux purifications successives, la transition était encore plus facile ; et d'elles découle toute la morale hindoue, avec son Karma, qui n'est en somme que le casier judiciaire d'une âme, casier qui la suit, s'aggrave ou s'allège dans ses palingénésies, jusqu'au Nirvana, lequel n'est pas, comme on se le représente trop souvent, l'annihilation ou la dispersion dans le sein de Dieu, ou, d'autre part, la réunion avec Dieu, coïncidant avec la perfection de l'esprit humain débarrassé de la matière, l'acquiescement parfait à la loi, le calme inaltérable dans la contemplation de ce qui est, l'espérance désintéressée de ce qui doit être et le repos dans l'absolu, c'est-à-dire dans le monde des causes où toutes les illusions des sens disparaissent ; mais un état plus mystérieux qui n'est pas le bonheur parfait ni le néant mais à proprement parler et une fois de plus, l'inconnaissable. « Que le Parfait existe au delà de la mort, dit un texte contemporain du Bouddha qui révèle le sens devenu ésotérique du Nirvana, que le Parfait existe au delà de la mort, cela n'est pas exact. Que le Parfait n'existe pas au delà de la mort, cela non plus n'est pas exact. Que le Parfait à la fois existe et n'existe pas au delà de la mort, cela non plus n'est pas exact[13]. »

[13] *Sanyutta Nikâya*, vol. II, fol. 110 et 199.

Comme le dit très bien Oldenberg qui cite ce passage entre plusieurs autres où se trouve le même aveu : « Ce n'est pas nier le Nirvana ou le Parfait ou conclure qu'il n'existe pas du tout. L'esprit est arrivé ici au bord d'un mystère insondable. Inutile de chercher à le découvrir. Si on renonçait définitivement à une éternité future, on parlerait d'autre façon ; c'est le cœur qui s'abrite derrière le voile du mystère. A la raison qui hésite à admettre une vie éternelle comme concevable, il tâche d'arracher l'espérance en une vie dépassant toute conception[14]. »

[14] OLDENBERG, *Le Bouddha*, p. 235.

Et c'est encore renouveler l'antique aveu fondamental que pour tout ce qui touche à l'essentiel, on ne sait rien, on ne peut rien savoir, en même temps que c'est une preuve nouvelle de la magnifique sincérité et de la haute et souveraine sagesse de la religion primitive.

Tous les êtres finiront-ils par atteindre le Nirvana ? Qu'adviendra-t-il alors, et pourquoi, puisque tout existe de toute éternité, tous ne l'ont-ils pas encore atteint ? A ces questions et à d'autres de ce genre, les Védas n'opposent qu'un silence dédaigneux ; mais des textes bouddhiques, entre autres celui-ci, répondent sagement à ceux qui veulent en savoir trop : « Le Sublime n'a pas révélé cela ; parce que cela ne sert pas au salut, que cela ne sert pas à la vie pieuse, au détachement des choses terrestres, à l'anéantissement du désir, à la cessation, au repos, à la connaissance, à l'illumination, au Nirvana ; pour cette raison, le Sublime n'en a rien révélé. »

XXVII

Quelle que soit la valeur de ces hypothèses, il est indubitable que la morale que nous voyons naître de cet agnosticisme et de ce panthéisme illimités, est la plus haute, la plus pure, la plus désintéressée, la plus sensible, la plus fouillée, la plus délicate, la plus limpide, la plus parfaite, que nous ayons connue jusqu'à ce jour et que sans doute nous puissions espérer de connaître.

Cette morale, aussi bien que l'énigme de l'incarnation et du sacrifice dont nous venons de parler, et que tant d'autres points que nous n'avons fait qu'effleurer, exigerait une étude particulière qui n'est pas notre objet. Il suffira de rappeler qu'elle repose sur le principe des réincarnations successives et du Karma.

Le monde, à proprement parler, n'a pas été créé ; il n'y a pas en sanscrit de mot qui corresponde à l'idée de création, comme il n'y en a pas qui corresponde à celle de néant. L'univers est une matérialisation momentanée et sans doute illusoire de la cause inconnue et spirituelle. Séparée de l'esprit qui est son essence propre, réelle et éternelle, la matière tend à y revenir et d'évolutions en évolutions, partie de plus bas que le minéral, en passant par la plante et l'animal, pour aboutir à l'homme et le dépasser, elle se transforme et se spiritualise, jusqu'à ce qu'elle soit assez pure pour remonter à son origine. Cette purification exige souvent une longue série de réincarnations, mais il est possible d'en réduire le nombre et même d'y mettre un terme par une spiritualisation intensive, héroïque et totale qui dès la mort et parfois même dès cette vie, ramène l'âme dans le sein de Brahma.

Cette explication de l'inexplicable, malgré les objections qui se présentent, notamment au sujet de l'origine et de la nécessité de la matière ou du mal, qui sont laissées dans l'ombre, en vaut une autre et a l'avantage d'être la première en date, outre qu'elle est la plus vaste, qu'elle embrasse tout ce qu'on peut imaginer et part du grand principe spirituel auquel, faute de tout autre acceptable, nous sommes de plus en plus impérieusement forcés de revenir.

En tout cas, elle l'a prouvé, elle a favorisé plus que nulle autre l'éclosion et l'évolution d'une morale que l'homme n'avait jamais atteinte et qu'il n'a pas dépassée jusqu'ici.

Il faudrait disposer de plus de place que nous n'en avons et déséquilibrer cette étude, pour en donner une idée suffisante.

L'admirable de cette morale, quand on la prend près de sa source où elle a encore sa pureté, c'est qu'elle est tout intérieure, toute spirituelle. Elle ne trouve ses sanctions et ses récompenses qu'en notre propre cœur. Il n'y a pas de juge qui attende l'âme à la sortie du corps, il n'y a pas de paradis, il n'y a pas d'enfer ; car l'enfer ne vient que plus tard. Le juge, l'enfer ou le paradis, c'est l'âme même, l'âme seule. Elle ne rencontre rien ni personne. Elle n'a pas besoin de se juger, elle se voit telle qu'elle est, telle que l'ont faite ses actions et ses pensées, à la fin de cette vie et des vies antérieures. Elle s'aperçoit enfin, tout entière, dans l'infaillible miroir que lui tend la mort, et reconnaît que son bonheur ou son malheur c'est elle-même. Elle ne peut jouir ou souffrir que d'elle-même. Elle est seule dans l'infini, il n'y a pas de dieu au-dessus d'elle pour lui sourire ou l'effrayer ; elle est le dieu qu'elle a déçu, mécontenté ou satisfait. Sa condamnation ou son absolution, c'est ce qu'elle est devenue. Elle ne peut pas sortir d'elle-même pour aller ailleurs où elle serait plus heureuse. Elle ne peut respirer que dans l'atmosphère qu'elle s'est créée, elle est son atmosphère, elle est son propre monde et son propre milieu ; et il faut qu'elle s'élève et se purifie pour que ce monde et ce milieu s'élèvent, se purifient et s'étendent avec elle, autour d'elle.

« L'âme, dit Manou, est son propre témoin, l'âme est son propre asile ; ne méprisez jamais votre âme, ce témoin par excellence des hommes ! »

« Les méchants se disent : « Personne ne nous « voit », mais les Dieux les regardent, de même que l'esprit qui siège en eux. »

« O homme ! tandis que tu te dis : « Je suis seul avec moi-même », dans ton cœur réside sans cesse cet Esprit suprême, observateur attentif et silencieux de tout le bien et de tout le mal.

« Cet Esprit qui siège dans ton cœur, c'est un juge sévère, un punisseur inflexible, c'est Yama, le juge des morts[15]. »

[15] *Manou*, VIII, 84, 85, 91, 92.

XXVIII

Entre la naissance et la mort qui n'est qu'une nouvelle naissance, les *Lois de Manou* distinguent cinq périodes : la conception, l'enfance, le noviciat ou l'étude des sciences divines et humaines, l'état de père de famille et enfin celui d'anachorète se préparant à la mort. Chacune de ces périodes a ses devoirs qu'il faut avoir accomplis, avant de pouvoir aspirer à la retraite dans la forêt. En attendant cette heure entre toutes désirée, « la résignation, dit Manou, l'action de rendre le bien pour le mal, la tempérance, la probité, la pureté, la chasteté et la répression des sens, la connaissance des livres sacrés, le culte de la vérité, l'abstention de la colère, telles sont les dix vertus en quoi consiste le devoir[16]. »

[16] *Manou*, VI, 92.

Le but de notre vie sur cette terre, c'est de mettre un terme aux réincarnations, car la réincarnation est un châtiment que l'âme est obligée de s'infliger tant qu'elle ne se sent pas assez pure pour rentrer en Dieu. « Atteindre la condition suprême, dit Manou, ne plus renaître sur cette terre, voilà l'idéal ! Être assuré d'un bonheur éternel et que la terre ne voie plus notre âme venir de nouveau s'envelopper de sa grossière substance. »

Cette purification, cette dématérialisation progressive, ce renoncement à tout égoïsme, commence dès le début de la vie et se poursuit durant toutes les phases de l'existence ; mais il faut d'abord accomplir tous les devoirs de cette existence active : « Car, sachez-le tous, disent les livres sacrés, nul d'entre vous n'arrivera à s'absorber dans le sein de Brahma par la prière seulement, et le mystérieux monosyllabe n'effacera vos dernières souillures que quand vous arriverez sur le seuil de la vie future, chargé de bonnes œuvres, et les plus méritoires parmi ces œuvres seront celles qui auront pour mobiles l'amour du prochain et la charité. »

« Une seule bonne action, dit encore Manou, vaut mieux que mille bonnes pensées, et ceux qui remplissent leurs devoirs sont supérieurs à ceux qui les connaissent. »

« Que le sage observe constamment les devoirs moraux (Yamas) avec plus d'attention que les devoirs pieux (Niyamas), celui qui néglige les devoirs moraux déchoit même lorsqu'il observe les devoirs pieux[17]. »

[17] *Manou*, IV, 204.

XXIX

Il y a dans la vie ceux périodes bien distinctes : la période active ou sociale, où l'homme fonde sa famille, assure sa descendance, travaille de ses mains, accomplit les humbles devoirs de l'existence quotidienne envers les siens et ceux qui les entourent. Pour ces jours encore profanes, abondent les plus angéliques préceptes de résignation, de respect de la vie, de patience et d'amour.

« Les maux dont nous affligeons notre prochain, dit Krichna, nous poursuivent ainsi que notre ombre suit notre corps. »

« De même que la terre supporte ceux qui la foulent aux pieds et lui déchirent le sein en la labourant, de même nous devons rendre le bien pour le mal. »

« Qu'il sache bien que ce qui est au-dessus de tout, c'est le respect de soi-même et l'amour du prochain. »

« Celui qui remplit tous ses devoirs pour plaire à Dieu seul et sans envisager la récompense future, est sûr d'un immortel bonheur[18]. »

[18] *Ibid.*, II, 15.

« Si un acte pieux procède de l'espoir d'une récompense en ce monde ou dans l'autre, cet acte est dit intéressé. Mais celui qui n'a d'autre mobile que la connaissance et l'amour de Dieu, est dit désintéressé[19]. » (Méditons un moment cette parole vieille de plusieurs milliers d'années, une de celles que nous pouvons redire sans y changer une syllabe, car Dieu ici, comme dans toute la littérature védique, c'est le meilleur et l'éternel de nous-mêmes et de l'univers.)

[19] *Ibid.*, XII, 89.

« L'homme dont tous les actes religieux sont intéressés parvient au rang des saints et des anges (Devas). Mais celui dont tous les actes pieux sont désintéressés se dépouille pour toujours des cinq éléments pour acquérir l'immortalité dans la Grande Ame. »

« De toutes les choses qui purifient, la pureté dans l'acquisition des richesses est la meilleure. Celui qui conserve sa pureté en devenant riche est réellement pur, et non celui qui s'est purifié avec la terre et l'eau. »

« Les hommes instruits se purifient par le pardon des offenses, par des aumônes et par la prière. L'intelligence est purifiée par le savoir. »

« La main d'un artisan est toujours pure pendant qu'il travaille. »

« Bien que la conduite de son époux soit blâmable, bien qu'il se livre à d'autres amours et soit dépourvu de bonnes qualités, une femme vertueuse doit constamment le révérer comme un Dieu. »

« Celui qui a souillé l'eau par quelque impureté ne doit vivre que d'aumônes pendant un mois entier. »

« Afin de ne causer la mort d'aucun animal, que le Sannyâsî (c'est-à-dire le mendiant ascétique), la nuit comme le jour, même au risque de se faire du mal, marche en regardant à terre[20]. »

[20] *Ibid.*, XII, 90 ; V, 106, 107, 129, 154 ; XI, 255 ; VI, 68.

« Pour avoir coupé, une seule fois et sans mauvaise intention, des arbres portant leur fruit, des buissons, des lianes, des plantes grimpantes ou des plantes rampantes en fleur, on doit répéter cent prières du Rig-Véda. »

« Si l'on arrache inutilement des plantes cultivées ou des plantes nées spontanément dans une forêt, on doit suivre une vache pendant un jour entier et ne se nourrir que de lait. »

« Par un aveu fait devant tout le monde, par le repentir, par la dévotion, par la récitation des prières sacrées, un pêcheur peut être déchargé de sa faute, ainsi qu'en donnant des aumônes, lorsqu'il se trouve dans l'impossibilité de faire d'autre pénitence. »

« Autant son âme éprouve de regret pour une mauvaise action, autant son corps est déchargé du poids de cette action perverse. »

« La réussite de toutes les affaires du monde dépend des lois du Destin, réglées par les actions des mortels dans leurs existences précédentes, et de la conduite de l'homme ; les décrets de la Destinée sont un mystère ; c'est donc aux moyens dépendant de l'homme qu'il faut avoir recours. »

« La justice est le seul ami qui accompagne les hommes après le trépas ; car toute affection est soumise à la même destruction que le corps[21]. »

[21] *Ibid.*, XI, 142, 144, 227, 229 ; VII, 205.

« Si celui qui vous frappe laisse tomber le bâton dont il se sert, ramassez-le et rendez-le lui sans murmurer. »

« Vous n'abandonnerez pas les animaux dans leur vieillesse, en souvenir des services qu'ils vous ont rendus[22]. »

[22] *Sama Véda.*

« Celui qui méprise une femme méprise sa mère. Les larmes des femmes attirent le feu céleste sur ceux qui les font couler. »

« L'honnête homme doit tomber sous les coups des méchants, comme l'arbre Santal qui, lorsqu'on l'abat, parfume la hache qui le frappe[23]. »

[23] *Pradasa.*

« Porter les trois bâtons de l'ascète, observer le silence, porter les cheveux en tresse, se raser la tête, se vêtir de vêtements d'écorce ou de peaux, accomplir les vœux et les ablutions, célébrer la Agnihotra, habiter dans la forêt, s'émacier le corps, tout cela est vain si le cœur n'est pas pur. »

« Celui qui, quelque soin qu'il prenne de lui-même, pratique le calme de l'âme, qui est calme, soumis, contenu, chaste, et a cessé de trouver à redire aux autres êtres, celui-là est vraiment un Brahmane, un Çramane (ascète), un Bhikshu (frère mendiant). »

« O Bhârata, à quoi sert la forêt à qui s'est dominé, et à quoi sert-elle à qui ne s'est pas dominé ? Partout où vit un homme qui s'est dominé, là est la forêt, là est l'hermitage. »

« Le sage restât-il dans sa maison, quelque soin qu'il prenne de lui-même, s'il est toujours pur et plein d'amour tout le long de sa vie, est délivré de tous les maux. »

« Ce n'est pas l'hermitage qui fait la vertu ; la vertu ne vient que de la pratique. Donc, que l'homme ne fasse pas aux autres ce qui serait douloureux à lui-même. »

« Le monde est soutenu par toute action qui n'a que le sacrifice, c'est-à-dire le don volontaire de soi pour objet ; c'est dans ce don volontaire, sans attachement aux formes que l'homme doit accomplir l'action. Il faut accomplir l'action à seule fin de servir les autres. Celui qui voit l'inaction dans l'action et l'action dans l'inaction, est un sage parmi les hommes ; il est harmonisé aux vrais principes, quelque action qu'il fasse. Un tel homme, ayant abandonné tout attachement au fruit de l'action, toujours content, ne dépendant de personne, bien que faisant des actions, est comme s'il n'en faisait pas. Toutes ses pensées empreintes de sagesse et tous ses actes faits de sacrifices sont comme évaporés[24]. »

[24] *Vanaparva*, 13445. — *Paraboles de Buddhgosha.* — *Cantiparva*, 5951. — *Vanaparva*, 13550. — *Lois de Yajnavalkya*, III, 65. — *Bhagavat-Gita.*

XXX

Voilà, pris au hasard, dans un immense trésor encore en partie inconnu, quelques conseils, vieux de milliers d'années, qui, bien avant le christianisme, guidaient les hommes de bonne volonté jusqu'à la lisière de la forêt. Alors, comme dit Manou, « lorsque le chef de la famille voit sa peau se rider et ses cheveux blanchir et qu'il a sous les yeux le fils de son fils », quand il n'a plus de devoirs à remplir, que personne n'a plus besoin de son aide, qu'il soit le plus riche marchand de la cité ou le plus pauvre paysan du village, il peut enfin se consacrer aux choses éternelles, quitter sa femme, ses enfants, ses proches, ses amis, « prendre une peau de gazelle ou un manteau d'écorce », pour se retirer dans la solitude, s'enfoncer dans l'énorme forêt tropicale, oublier son corps et les vaines pensées qui en naissent et écouter la voix du Dieu caché au fond de son être, la voix « du voyageur qu'on ne voit pas, dit le *Brahmane des cent sentiers*, de l'entendeur non entendu, du penseur non pensé, du connaisseur non connu, de l'Atman, le meneur intérieur, l'impérissable, en dehors de qui il n'y a que douleur. » Il peut méditer sur l'infinité de l'espace, l'infinité de la raison et « la non existence de rien », saisir l'instant d'illumination qui apporte « la délivrance que personne ne peut enseigner, qu'il faut trouver soi-même, qui est ineffable », et purifier son âme afin de lui épargner, s'il est possible, un nouveau retour sur cette terre.

Arrivé là, « Qu'il ne désire pas la mort, qu'il ne désire pas la vie ; ainsi qu'un moissonneur qui, le soir venu, attend paisiblement son salaire à la porte de son maître, qu'il attende que le moment soit venu. »

« Qu'il réfléchisse, avec l'application d'esprit la plus exclusive, sur l'essence subtile et indivisible de l'Ame suprême, et sur son existence dans les corps des êtres les plus élevés et les plus bas. »

« Méditant avec délices sur l'Être suprême, n'ayant besoin de rien, inaccessible à tout désir des sens, sans autre société que son âme et la pensée de Dieu, qu'il vive dans l'attente constante de la béatitude éternelle. »

« Car le principal de tous les devoirs, c'est d'acquérir la connaissance de l'âme suprême, c'est la première de toutes les sciences, car elle seule confère à l'homme l'immortalité. »

« Ainsi l'homme qui reconnaît dans sa propre âme l'âme suprême, présente dans toutes les créatures, se montre le même à l'égard de tous et obtient le sort le plus heureux, celui d'être à la fin absorbé dans le sein de Brahma[25]. »

[25] *Manou*, VI, 45, 65, 49 ; XII, 85, 125.

« Après avoir ainsi abandonné toute pratique pieuse, tout acte de dévotion austère, appliquant son esprit à la contemplation unique de la grande Cause Première, exempt de tout désir mauvais, son âme est déjà sur le seuil du Swarga, alors que son enveloppe mortelle palpite encore comme la dernière lueur d'une lampe qui s'éteint[26]. »

[26] *Ibid.*, VI, 96.

XXXI

Presque tout ceci, ne l'oublions pas, est bien antérieur au Bouddhisme, remonte aux origines du Brahmanisme et touche directement aux Védas. Convenons que cette morale, dont je n'ai pu donner ici que le plus sommaire aperçu, la première qu'ait connue l'humanité, est aussi la plus haute qu'elle ait pratiquée. Elle part d'un principe que même aujourd'hui, avec tout ce que nous croyons avoir appris, nous ne pouvons contester, à savoir que l'homme et tout ce qui l'environne n'est qu'une sorte d'émanation, de matérialisation momentanée de la cause inconnue et spirituelle à laquelle il doit retourner ; et ne fait que déduire, avec une beauté, une élévation et une logique incomparables, les conséquences de ce principe. Il n'y a pas ici de révélation extra-terrestre, de Sinaï, de tonnerre dans le ciel, de dieu spécialement descendu sur notre planète. Il n'avait pas besoin d'y descendre, il était déjà dans le cœur de tous les hommes, parce que tous les hommes ne sont qu'une partie de lui-même et ne peuvent être autre chose. Ils interrogent ce dieu qui semble résider dans leur âme, dans leur esprit, en un mot dans le principe immatériel qui donne la vie à leur corps. Il ne leur dit pas, il est vrai, ou peut-être le leur dit-il sans qu'ils puissent le comprendre, pourquoi il les a momentanément et apparemment séparés de lui ; et c'est, — origine du mal et nécessité de l'épreuve, — le postulat aussi inaccessible que le mystère de la cause première, avec cette différence, que le mystère de la cause première était inévitable, au lieu que la nécessité de celui-ci est incompréhensible. Mais le postulat accordé, tout le reste s'éclaire et se déroule comme un syllogisme. La matière est ce qui nous sépare de Dieu, l'esprit ce qui nous y unit ; il faut donc que l'esprit l'emporte sur la matière. Mais l'esprit n'est pas seulement l'intelligence, il est aussi le cœur, le sentiment, il est tout ce qui n'est pas matériel ; il faut donc que sous toutes ses formes il se purifie, s'étende, s'élève et triomphe de la matière. Il n'y eut jamais, et il ne saurait, je pense, y avoir spiritualisation plus grandiose, plus logique, plus inattaquable, plus réaliste, en ce sens qu'elle ne se fonde que sur des réalités, et plus divinement humaine. Il est certain qu'après tant de siècles, après tant d'acquisitions et d'expériences, nous nous rencontrons au même point. Partant comme eux de l'inconnaissable, nous ne pouvons trouver autre chose, et ne saurions mieux dire. Seul serait supérieur aux immenses efforts que leurs mots ont tentés, un silence résigné, préférable en théorie, mais qui pratiquement ne peut conduire qu'à une ignorance immobile et désespérée.

L'ÉGYPTE

I

Nous avons déjà vu, en parlant de Noun, Toum et Phtah, l'idée que se faisaient les Égyptiens de la cause première, de la création ou plutôt de l'émanation ou de la manifestation de l'univers. Elle est, du moins telle que nous la connaissons par la traduction probablement incomplète des hiéroglyphes, sous une forme moins frappante, moins profonde et moins métaphysique, analogue à celle des Védas, et révèle une source commune.

Immédiatement après l'énigme de la cause première, ils rencontrèrent, eux aussi, inévitablement, l'insoluble problème de l'origine du mal, et, sans trop oser l'approfondir, y trouvèrent une solution plus pâle, plus évasive, mais au fond presque semblable à celle des Hindous. Dans l'Osirisme, l'esprit et la matière s'appellent la lumière et les ténèbres ; et « Set, l'antagoniste de Râ-lumière, dans les mythes de Râ, d'Osiris et d'Horus, n'est pas un dieu du mal, dit Le Page Renouf, il représente une réalité physique, une loi constante de la nature[27] ». Il est un dieu aussi réel que ses adversaires et son culte est aussi ancien que le leur. Il avait ses prêtres comme eux, et il est fils de la même cause inconnue. Il est si peu séparable de la force qui lui est opposée que sur certains monuments les têtes d'Horus et de Set surmontent le même corps et ne forment qu'un seul dieu.

[27] *Op. cit.*, p. 115.

Après les mêmes aveux d'ignorance, ici encore, comme dans l'Inde, le mythe de l'incarnation vient préciser et diriger une morale qui, sortie de l'inconnaissable, ne pouvait prendre forme et n'être connue que dans l'homme et par l'homme. Osiris, Horus, Thot ou Hermès qui prit cinq fois la forme humaine au dire des occultistes, ne sont que des incarnations plus mémorables du dieu qui réside en chacun de nous. De ces incarnations découle avec moins d'éclat, moins d'abondance, moins de force, — car le génie égyptien n'a pas l'ampleur, l'élévation, la puissance d'abstraction du génie hindou, — une morale plus humble, plus terre à terre, mais de la même nature que celle de Manou, de Krichna et du Bouddha, ou plutôt de ceux qui dans la nuit des âges précédèrent Manou, Krichna et le Bouddha. Cette morale se trouve dans le *Livre des Morts* et dans les inscriptions funéraires. Quelques-uns des papyrus qui reproduisent le *Livre des Morts* ont plus de quatre mille ans ; mais des textes de ce même livre, qui recouvraient presque toutes les tombes et presque tous les sarcophages, sont probablement plus anciens. Ce sont, avec les inscriptions cunéiformes, les plus antiques écritures, ayant date certaine, que possède l'humanité. Le plus vénérable des codes de morale, œuvre de Phtahotep, encore imparfaitement déchiffré, contemporain des Pyramides, se couvre de l'autorité d'ancêtres infiniment plus reculés. « Pas une des vertus chrétiennes, dit F.-J. Chapas, l'un des grands égyptologues de la première heure, n'est oubliée dans la morale égyptienne. La piété, la charité, la bonté, l'empire sur soi-même, dans la parole et l'action, la chasteté, la protection des faibles, la bienveillance envers les humbles, la déférence envers les supérieurs, le respect de la propriété d'autrui, jusqu'en ses plus petits détails, tout y est exprimé en langage excellent. »

II

« Je n'ai pas fait de mal à un enfant, dit une inscription funéraire. Je n'ai pas opprimé une veuve, je n'ai pas maltraité un berger. Durant ma vie, il n'y avait pas un mendiant ; et quand vinrent les années de famine, je labourai toute la terre de la province, nourrissant tous ses habitants et je fis en sorte que la veuve était comme si elle n'avait pas perdu son époux[28]. »

[28] Inscriptions d'Ameni, *Denkm*, II, pl. 121.

Celui-ci « était le père des faibles, le soutien de ceux qui n'avaient pas de mère ; craint des méchants il protégeait le pauvre. Il était le vengeur de celui que le puissant avait dépouillé. Il était l'époux de la veuve et le refuge de l'orphelin[29] ». « Celui-là était le protecteur des humbles, une palme d'abondance pour l'indigent, l'aliment des pauvres, la richesse du faible, et sa sagesse était au service de l'ignorant[30]. » — « J'étais le pain de celui qui avait faim, l'eau de celui qui avait soif, le vêtement de celui qui était nu, le refuge de celui qui était dans le besoin. Ce que j'ai fait pour eux, Dieu l'avait fait pour moi »[31], disent d'autres inscriptions, reprenant toujours le même thème de bonté, de justice et de charité. « Bien que grand, j'ai toujours agi comme si j'avais été petit. Je n'ai jamais barré la route à quelqu'un qui valait mieux que moi. J'ai toujours répété ce qu'on m'avait dit, exactement comme on me l'avait dit. Je n'ai jamais approuvé ce qui est bas et mal, mais j'ai pris plaisir à dire la vérité. La sincérité et la bonté qui étaient dans le cœur de mon père et de ma mère, mon amour les leur a rendues. J'ai été la joie de mes frères, l'ami de mes compagnons, j'ai reçu les voyageurs sur la route ; mes portes étaient ouvertes à ceux qui venaient du dehors et je leur ai donné de quoi se rafraîchir. Ce que me dictait mon cœur, je n'hésitais pas à l'accomplir[32]. »

[29] Tablette d'Antuff. Louvre, C. 26.

[30] British Museum, 581.

[31] DUMICHEN, *Kalenderinschriften*, XLVI.

[32] BERGMANN, *Hieroglyphische Inschriften*, pl. VI, I. 8 ; pl. VIII, IX.

III

Dans le *Livre des Morts*, quand, après la longue et terrible traversée du Douaou, qui n'est pas l'enfer égyptien, comme on l'a dit, mais une région intermédiaire entre la mort et la vie éternelle, l'âme est arrivée dans le pays de « Menti » qu'on appela plus tard l'« Amenti », elle se trouve en face de Maât ou Maît, la plus mystérieuse divinité de l'Égypte. Maât est la ligne droite, elle représente la Loi, la Justice-Vérité, la Justice absolue. Chacun des grands dieux se dit maître de Maât, mais elle ne reconnaît aucun maître. Les dieux vivent par elle, elle règne seule sur la terre, dans les cieux et le monde d'outre-tombe ; elle est à la fois la mère du dieu qui l'a créée, sa fille et le dieu lui-même. En présence d'Osiris assis sur son trône de juge, est mis dans un des plateaux de la balance le cœur du mort qui symbolise toute sa nature morale, dans l'autre plateau se trouve une image de Maât. Quarante-deux divinités, qui représentent les quarante-deux péchés qu'elles sont chargées de punir, sont rangées derrière la balance dont Horus surveille l'aiguille, tandis que Téhutin, le dieu des lettres, inscrit le résultat de la pesée. Tout ceci n'est évidemment qu'une représentation allégorique, une sorte de mise en images, une projection sur l'écran de ce monde, de ce qui se passe dans l'autre, au fond d'une âme ou d'une conscience qui se juge après la mort.

Alors, si l'épreuve est favorable, se passe une chose extraordinaire qui révèle la signification secrète, inattendue et profonde de toute cette mythologie : l'homme devient dieu. Il devient Osiris même. Il se découvre pareil à celui qui le juge. Il joint son nom à celui d'Osiris, il est Osiris-un-tel. Il se retrouve enfin le dieu inconnu qu'il était à son insu. Il reconnaît l'Éternel caché au fond de lui-même, qu'il avait cherché durant toute son existence et qui, finalement délivré par ses bonnes œuvres, par ses efforts spirituels, se révèle identique au dieu qu'il avait écouté et adoré et dont il avait voulu se rapprocher en le prenant pour modèle.

C'est, sous une autre image, l'absorption de l'âme purifiée dans le sein de Brahma, le retour à la divinité de ce qu'il y avait de divin dans l'homme, comme aussi, sous l'allégorie dramatique, l'âme qui se juge elle-même et se reconnaît digne de rentrer en Dieu.

IV

Rudolph Steiner qui, lorsqu'il ne s'égare pas dans les visions peut-être plausibles mais invérifiables de la préhistoire, des clichés astraux et de la vie sur d'autres planètes, est un esprit très juste et très perspicace, a remarquablement mis en lumière le sens de ce jugement et de cette identification de l'âme avec Dieu. « L'Être Osiris, dit-il, n'est que le degré le plus parfait de l'être humain. Il s'entend de soi que l'Osiris qui règne en juge sur l'ordre éternel de l'univers, n'est lui-même qu'un homme parfait. Entre l'état humain et l'état divin, il n'y a qu'une différence de degré. L'homme est en voie de développement ; à la fin de sa carrière il devient Dieu. Dans cette conception, Dieu est un éternel devenir et non pas un Dieu fini en soi.

« Tel étant l'ordre universel, il est évident que celui-là seul peut entrer dans la vie d'Osiris, qui est déjà devenu un Osiris lui-même avant de frapper à la porte du temple éternel. La vie la plus haute de l'homme consiste donc à se changer en Osiris. L'homme devient parfait lorsqu'il vit comme Osiris, lorsqu'il traverse ce qu'Osiris a traversé. Le mythe d'Osiris acquiert par là un sens plus profond. Il devient le modèle de celui qui veut éveiller l'Éternel en lui-même[33]. »

[33] RUDOLPH STEINER, *Le Mystère chrétien et les Mystères antiques*. Trad. de J. SAUERWEIN, p. 170.

V

Cette Osirification, cette déification de l'âme du juste a toujours étonné les égyptologues qui n'en saisissaient pas le sens caché et ne voyaient pas qu'elle rejoignait le Nirvana védique dont elle n'est qu'une réplique dramatisée. Mais les textes authentiques sont là, et même du point de vue exotérique, il n'est pas possible de leur donner une autre signification. Le fond de la religion égyptienne, sous toutes ses végétations parasites qui devinrent peu à peu monstrueuses, est bien le même que celui de la religion védique ; d'un même point de départ dans l'inconnaissable, c'est le culte et la recherche du dieu dans l'homme et le retour de l'homme en dieu. Le juste, c'est-à-dire celui qui durant sa vie s'est efforcé de retrouver l'éternel en lui-même et d'écouter sa voix, délivré de son corps, ne devient pas seulement Osiris ; mais de même qu'Osiris est d'autres dieux, il devient aussi d'autres dieux. Il parle comme s'il était Râ, Tmu, Seb, Chnemu, Horus, et ainsi de suite. « Ni les hommes, ni les dieux, ni les esprits des décédés, ni les hommes passés, présents et futurs, quels qu'ils soient, ne peuvent plus lui faire de mal. Il est celui qui s'avance en sûreté. Son nom est « Celui que les hommes ne connaissent pas ». « Son nom est hier qui voit des jours sans nombre, passant en triomphe sur les routes du ciel. » « Il est le Seigneur de l'éternité. Il est le maître de la couronne royale et chacun de ses membres est un dieu. »

VI

Mais qu'arrive-t-il si la sentence n'est pas favorable, si l'âme n'est pas jugée digne de rentrer dans l'éternel, de redevenir le dieu qu'elle était ? On n'en sait rien. Tout ce qu'on a dit au sujet de châtiments, d'expiations, de transmigrations purificatrices, ne repose sur aucun texte authentique. « On ne trouve trace, dit Le Page Renouf, d'une conception de ce genre dans aucun des textes égyptiens découverts jusqu'ici. Les transformations après la mort, nous est-il dit expressément, dépendent uniquement de la volonté du défunt ou de son génie[34] », c'est-à-dire de son âme. N'est-ce pas dire expressément aussi qu'elles ne dépendent que du jugement de l'âme sur elle-même et qu'elle seule reconnaît et décide, comme l'âme hindoue chargée de son Karma, si elle est digne ou non de rentrer dans la divinité ; en d'autres termes qu'il n'y a de ciel et d'enfer qu'en nous-mêmes ?

[34] LE PAGE RENOUF, *op. cit.*, p. 183.

Mais que devient-elle si elle ne se juge pas digne d'être dieu ? Attend-elle ou se réincarne-t-elle ? Nul texte égyptien ne permet de trancher la question ; il n'y a pas trace non plus d'un état intermédiaire entre la mort et l'éternelle béatitude. Les rites funéraires ne donnent, sur ce point, aucune indication. Ils semblent prévoir, pour le mort, une vie d'outre-tombe exactement pareille, sur un autre plan, à celle qu'il menait sur la terre. Mais ces rites ne paraissent pas s'appliquer à l'âme proprement dite, au principe divin. La religion égyptienne, comme les autres religions primitives, distingue en l'homme trois parties : le corps physique, une entité spirituelle périssable, une sorte de reflet du corps, qui lui survivait, une ombre ou plutôt un double, qui pouvait à son gré se confondre avec la momie ou s'en détacher, et enfin un principe purement spirituel, l'âme véritable et immortelle qui, après le jugement, devenait dieu.

Le double désemparé, et non pas l'âme qui redevenait Osiris, errait misérablement entre le monde visible et l'invisible, comme semblent le faire les désincarnés de nos spirites, si les rites funéraires ne venaient à son aide pour le ramener et le retenir près du corps qu'il avait abandonné. Tout le rituel ne visait qu'à prolonger autant que possible l'existence de ce double, en pourvoyant à ses besoins, analogues à ceux de sa vie terrestre, en le fixant près de sa momie incorruptible, en l'enchaînant dans une demeure qui lui fût agréable.

L'existence de ce double était supposée très longue. Une tablette du Louvre nous montre, par exemple, que Psamtik, fils d'Ut'ahor, qui vivait au temps de la 26e dynastie, était prêtre de trois souverains de la grande Pyramide, morts depuis plus de 2.000 ans.

Cette idée du double, comme le fait remarquer Herbert Spencer, est d'ailleurs universelle. « Partout, nous dit-il, nous voyons exprimée ou impliquée la croyance que chaque personne est double et que, quand elle meurt, son autre moi, qu'il demeure proche ou qu'il s'en soit allé au loin, peut revenir et est capable de nuire à ses ennemis ou d'aider ses amis. »

Ce double égyptien n'est d'ailleurs que le Périsprit, le Corps Astral des occultistes, cette entité désincarnée, ce subconscient plus ou moins indépendant de notre corps, cet hôte inconnu, auquel sont ramenés, malgré eux, nos modernes métapsychistes, quand ils constatent certaines manifestations hypnotiques ou médiumniques, certains phénomènes de télépathie, d'action à distance, de matérialisation et d'apparitions posthumes qui autrement seraient à peu près inexplicables. Une fois de plus, les anciennes religions avaient ici précédé notre science, vu peut-être plus juste et plus loin qu'elle. Je dis peut-être, car si l'existence du double, de l'astral ou de l'entité subconsciente à peu près indépendante de notre cerveau, n'est plus guère contestable en ce qui concerne les vivants, elle peut encore être discutée quand il s'agit des morts. Il est certain qu'à l'appui de cette existence, des faits extrêmement troublants s'accumulent ; seule leur interprétation n'est pas encore décisive. Mais l'antique hypothèse égyptienne devient de plus en plus plausible et réfutait d'avance, il y a des milliers d'années, l'objection capitale que l'on fait aux spirites quand on leur dit que leurs esprits désincarnés ne sont que de pauvres ombres incohérentes et effarées, avant tout soucieuses d'établir leur identité et de se raccrocher à leur vie d'autrefois, de misérables mânes à qui la mort n'a rien révélé, et qui n'ont rien à nous apprendre sur leur existence d'outre-tombe, pâle reflet de leur existence antérieure. Il est en effet très explicable que cet esprit désincarné ne sache pas autre chose que ce qu'il savait durant sa vie. Le double égyptien dont il n'est que la réplique n'était pas l'âme véritable, l'âme immortelle qui, si le jugement de l'Amenti lui était favorable, rentrait en dieu ou plutôt redevenait dieu. Les rites sépulcraux n'entendaient pas s'occuper de cette âme dont le sort était fixé par la sentence de Maât ; ils voulaient seulement rendre moins précaire, moins misérable, l'existence posthume de ce principe attardé et plus lent à se dissoudre, de cette sorte de déchet spirituel, de ce fantôme nerveux, magnétique ou fluidique qui avait été un homme et ne formait plus qu'un faisceau de souvenirs tenaces et sans asile. Ils cherchaient à lui adoucir, en maintenant autour de lui les objets de ces souvenirs, le passage de la mort à l'éternel oubli. Les Égyptiens avaient sans doute constaté plus nettement que nous l'évidence de ce double dont nous commençons à peine à soupçonner l'existence ; car leur civilisation, héritière du reste de longues civilisations antérieures, était beaucoup plus ancienne que la nôtre et se portait davantage vers les côtés spirituels et invisibles de la vie. Mais ils ne préjugeaient rien, de même que l'hypothèse spirite, si elle était bien présentée, ne préjugerait rien au sujet de la destinée de l'âme proprement dite.

Le double n'était soumis à aucun jugement. Que l'homme eût été bon ou mauvais, juste ou injuste, il avait droit aux mêmes rites funéraires, à la même existence d'outre-tombe. Son châtiment ou sa récompense, c'était lui-même, c'était de continuer d'être ce qu'il avait été, c'était de poursuivre, sur un autre plan, la vie haute ou basse, étroite ou large, intelligente ou stupide, généreuse ou égoïste, qu'il avait menée sur la terre.

Remarquons que dans nos manifestations spirites il n'est pas question non plus de récompense ou de châtiment. Nos désincarnés, même lorsqu'ils furent croyants, ne font presque jamais allusion à un jugement posthume, à un enfer, à un ciel, à un purgatoire et, quand exceptionnellement ils en parlent, on peut presque à coup sûr soupçonner quelque interpolation télépathique. Ils sont, ou si l'on veut, paraissent être ce qu'ils étaient durant leur existence : plus ou moins consistants, plus ou moins cultivés, plus ou moins intelligents, plus ou moins volontaires, selon que leur pensée était consistante, cultivée, volontaire. Ils ne retrouvent que ce qu'ils ont semé dans les champs spirituels de ce monde. Mais ils n'ont pas, — et c'est la seule différence, — subi, comme le double égyptien, l'incantation magique qui, à tort ou à raison, pour leur bonheur ou leur malheur, violant les lois de la nature, rattachait celui-ci à ses restes physiques et l'empêchait de flotter comme une épave entre un monde matériel où il ne pouvait plus vivre et un univers spirituel où il semble qu'il lui fût interdit de pénétrer.

VII

Grâce à ces soins, grâce à ce culte et à cette prévoyance, le double était-il heureux ? On n'oserait l'affirmer. Il existe un texte terrible, l'inscription funéraire de la femme de Pasherenpath, qui est le plus déchirant cri de regret et de détresse que les morts aient poussé vers la vie. Il est vrai que cette inscription est de l'époque des Ptolémées, c'est-à-dire des derniers temps de l'Égypte, déformée par la Grèce, deux ou trois siècles avant notre ère. Elle nous montre la décadence et presque la ruine de la foi égyptienne ; et chose plus grave et plus inquiétante, en parlant de l'Amenti, semble confondre la destinée du double avec celle de l'âme immortelle. Voici cette inscription qui témoigne à quelles incertitudes aboutissent les religions les plus solides et les plus affirmatives ; et comment, à la fin de leur cours, elles nous replongent dans les ténèbres du grand secret, dans le chaos de l'inconnaissable, d'où elles étaient sorties.

« Oh ! mon frère, mon époux, ne cesse pas de boire, de manger, de vider la coupe de la joie et de vivre dans les fêtes. Suis chaque jour tes

désirs et ne laisse pas le souci pénétrer dans ton cœur tant que tu vivras sur cette terre ! Car l'Amenti est le pays du sourd sommeil et de l'obscurité, séjour de deuil pour ceux qui l'habitent. Ils dorment dans leurs formes, ils ne se réveillent plus pour voir leurs frères, ils ne reconnaissent leur père ni leur mère ; leur cœur est indifférent à leur femme et à leurs enfants. Chacun sur la terre jouit de l'eau de la vie ; mais la soif est à mes côtés. L'eau vient à celui qui demeure sur la terre, mais j'ai soif de l'eau qui est près de moi. Je ne sais où je suis depuis que je suis en ce lieu et j'implore l'eau qui coule, j'implore la brise sur la rive du fleuve, afin que par elle puisse être rafraîchie la douleur de mon cœur. Car quant au Dieu qui est ici, « Mort Absolue » est son nom. Il appelle tous les hommes et tous viennent à lui en tremblant de peur. Avec lui il n'y a pas de respect pour les hommes ou les dieux ; près de lui les grands sont comme les petits. On craint de le prier, car il n'écoute pas. Nul ne vient l'invoquer, car il n'est pas bon pour ceux qui l'adorent et ne tient pas compte des offrandes qu'on lui fait[35]. »

[35] SHARPE, *Egyptian Inscriptions*, I, pl. 4.

VIII

Et la réincarnation ? On croit généralement que l'Égypte est par excellence le pays de la palingénésie et de la métempsychose. Il n'en est rien. Pas un texte égyptien n'y fait allusion. Il est vrai que l'âme devenant Osiris pouvait prendre toutes les formes ; mais ce n'est pas là la réincarnation proprement dite, la réincarnation expiatoire et purificatrice des Hindous. Tout ce qu'on nous a dit à ce sujet repose principalement sur un texte d'Hérodote qui note que « les Égyptiens furent les premiers à affirmer que l'âme de l'homme est immortelle. Sans cesse, d'un vivant qui meurt, elle passe dans un autre qui naît, et, quand elle a parcouru tout le monde terrestre, aquatique et aérien, elle revient alors s'introduire en un corps humain. Ce voyage circulaire dure 3.000 ans. C'est là une théorie que, plus ou moins près de nous, plusieurs Grecs se sont appropriés ; je sais leurs noms et ne les écris point[36] ».

[36] *Hérodote*, II, 123.

De même, tout ce qui concerne les fameux mystères de l'initiation égyptienne est de source relativement récente et date de l'époque où les traditions et les théories hindoues, chaldéennes, juives et néo-platoniciennes se mêlaient et fermentaient violemment dans Alexandrie. L'Égypte des Pharaons ne nous dit pas ce que devenait l'âme qui n'était pas béatifiée. Il est possible qu'elle fût obligée de revenir sur terre pour se purifier et que le secret de cette réincarnation demeurât réservé aux initiés, comme il est également possible que des textes mieux interprétés ou que d'autres que nous ne connaissons pas encore, justifient et expliquent la tradition ésotérique. Il ne serait du reste pas surprenant, comme le fait remarquer Sédir, occultiste des plus érudits, qu'une partie des secrets qui ne se trouvent pas dans les inscriptions que nous croyons entièrement comprendre, nous fussent venus par la Chaldée, attendu que c'est parmi les Mages, sur les confins du Tigre et de l'Euphrate, que Cambyse, après la conquête de l'Égypte, transporta tous les prêtres de ce dernier pays, sans exception et sans retour. Quoiqu'il en soit, je le répète, les textes purement égyptiens ne permettent pas, pour l'instant, de trancher la question.

LA PERSE

La Perse nous retiendra moins longtemps, car sa religion est sans doute un reflet du Védisme ou, plus probablement, révèle une commune origine. Eugène Burnouf et Spiegel ont en effet prouvé que certaines parties de l'Avesta sont aussi anciennes que le Rig.

Le Mazdéisme ou Zoroastrisme paraît donc être une adaptation à l'esprit Iranien du Védisme ou de traditions aryennes — (atlantéennes diraient les théosophes) — antérieures au Védisme. Durant la captivité de Babylone, infiltré dans le Chaldéisme, il exerça une influence profonde sur la religion du peuple juif. Nous lui devons, entre autres choses, tels qu'ils ont passé dans la tradition judéo-chrétienne, la notion de l'immortalité de l'âme, le jugement de celle-ci, le jugement dernier, la résurrection des morts, le purgatoire, la croyance à l'efficacité des bonnes œuvres au point de vue du salut, la réversibilité des peines et des récompenses et toute notre angéologie.

Le Zoroastrisme a tenté de résoudre plus nettement que les autres religions anciennes l'énigme du mal, en faisant de celui-ci un dieu distinct, perpétuellement en lutte avec le Dieu du bien. Mais ce dualisme est plus apparent que réel. Ahura-Mazda ou Ormazd, ou Ormuzd, l'Être absolu et universel, le Verbe, l'Esprit omnipotent et omniscient, la Réalité, précède et domine Agra-Mainyus ou Ahriman, la Non-Réalité, c'est-à-dire ce qui est mauvais et trompeur, qui dans ses ténèbres ignore tout, paraît aussi inférieur à Ormazd que le démon l'est au Dieu des chrétiens et ne se montre en somme qu'une sorte de singe de la divinité, imitant maladroitement les créations de cette dernière et ne pouvant produire que des vices, des maux et quelques êtres malfaisants qui seront anéantis dans l'immense victoire du bien ; car la fin du monde, dans le système de Zoroastre, n'est que la régénération de la création.

On ne nous dit du reste pas pourquoi Ormazd, le dieu suprême, est obligé de tolérer Ahriman qui, il est vrai, ne personnifie pas le mal en soi ; mais le mal nécessaire au bien, les ténèbres indispensables à la manifestation de la lumière, la réaction qui suit l'action, le principe ou le pôle négatif opposé au positif pour assurer la vie et l'équilibre de l'univers.

Ormazd lui-même semble d'ailleurs obéir à la nécessité, ou à une loi naturelle plus puissante que lui et surtout au Temps, dont les décrets sont le Destin, « car en dehors du Temps, dit l'*Uléma*, tout a été créé et le Temps est le créateur. Le Temps ne laisse voir en soi ni cime ni racines, et toujours il a été et toujours il sera. Un homme intelligent ne demandera pas : D'où vient le Temps ? ni s'il y a eu un temps où cette puissance n'existait pas[37] ».

[37] J. DARMESTETER, *Ormazd et Ahriman*, p. 320.

Il serait intéressant d'étudier cette religion, au point de vue de ce qui lui doit le christianisme qui lui fit autant et même plus d'emprunts qu'au Brahmanisme et au Bouddhisme. Il faudrait également s'arrêter, ne fût-ce qu'un instant, à sa morale, une des plus hautes, des plus pures, des plus noblement humaines que l'on connaisse. Mais cette étude déborderait notre cadre. Nous devons, par exemple, à la Perse antique, l'admirable notion de la conscience, sorte de puissance divine, existant de toute éternité, indépendante du corps matériel, ne prenant aucune part aux fautes qu'elle voit s'accomplir, restant pure au milieu des pires égarements, accompagnant, après la mort, l'âme de l'homme qui, s'il fut juste, lorsqu'elle franchit le pont Tchinvat ou pont de la Rétribution, voit s'avancer à sa rencontre une jeune fille d'une miraculeuse beauté. « Qui es-tu, lui demande l'âme étonnée, toi qui me sembles plus belle et plus magnifique qu'aucune fille de la terre » ? Et sa conscience répond : « Je suis tes propres œuvres. Je suis l'incarnation de tes bonnes pensées, paroles et actions, je suis l'incarnation de ta foi pleine de piété[38] ? »

[38] *Yesth*, XXII.

Au contraire, si c'est un pécheur qui franchit le pont de la Rétribution, sa conscience vient à lui sous une forme horrible, bien qu'en soi elle ne change pas et se présente seulement aux hommes telle qu'ils ont mérité de la voir. Cette allégorie, qu'on croirait tirée d'un recueil de paraboles chrétiennes, date peut-être de 5.000 ou 6.000 ans et n'est qu'une dramatisation du Karma hindou. Ici encore, comme dans le Karma et l'Osirification, c'est l'âme qui se juge elle-même.

Nous devons aussi au Mazdéisme la mystérieuse et subtile notion des Fravashis ou Férouers que la Kabbale emprunta à la Perse et dont le mysticisme juif et le christianisme firent les anges et surtout les anges gardiens. Elle implique la préexistence des âmes. Les Férouers sont la forme spirituelle de l'être, indépendante de la vie matérielle et antérieure à celle-ci. Ormazd offre le choix aux Férouers des hommes de rester dans le monde spirituel ou de descendre sur terre pour s'incarner dans des corps humains. Ce sont des sortes de prototypes dont Platon tira probablement sa théorie des « Idées », en supposant que toute chose avait une double existence, d'abord en idée puis en réalité.

Ajoutons qu'un phénomène analogue à celui que nous avons déjà constaté, dans l'Inde, se répéta ici : ce qui était public et patent dans le Mazdéisme devint peu à peu secret et fut réservé aux seuls initiés dans ce que les Grecs et les Juifs, notamment dans leur Kabbale, lui empruntèrent.

LA CHALDÉE

La Chaldée, c'est-à-dire la Babylonie et l'Assyrie, est comme la Perse, la patrie des Mages, et on la regarde généralement comme la terre classique de l'occultisme ; mais ici encore, ainsi que nous l'avons vu pour l'Égypte, la légende ne concorde guère avec la réalité historique.

Il semble *à priori*, que la Chaldée doive nous intéresser spécialement, non qu'il soit probable qu'elle ait à nous apprendre autre chose que l'Inde, l'Égypte et la Perse dont elle est tributaire, mais parce que c'est en elle que se trouve vraisemblablement la source principale de la Kabbale qui est elle-même la grande fontaine où s'alimenta l'occultisme du Moyen âge, tel qu'il s'est prolongé jusqu'à nous.

On avait espéré que la découverte de la clef des écritures cunéiformes, — découverte qui ne remonte guère à plus d'un demi-siècle, — et le déchiffrement des inscriptions de Ninive et de Babylone, nous apporteraient des révélations précieuses sur les mystères de la religion chaldéenne. Mais ces inscriptions qui remontent à 2.000, à 3.750 et même pour l'une d'elles, conservée au British Museum, à 4.000 ans avant J.-C., et dont la lecture est du reste beaucoup plus incertaine et plus controversée que celle des hiéroglyphes et du sanscrit, ne nous ont donné que des biographies royales, des nomenclatures de conquêtes, des formules incantatoires, des litanies et des psaumes qui servirent de modèles aux psaumes hébreux. Nous y voyons que le fond de la religion très primitive des Soumirs ou Sumers et des Accads ou Akkadiens qui peuplaient la basse Chaldée avant la conquête sémite, était la magie et la sorcellerie auxquelles succéda un polythéisme naturaliste que les Sémites conquérants, moins civilisés que leurs vaincus, adoptèrent en partie, jusqu'à ce que, environ 2.000 ans avant notre ère, l'élément sémite ayant pris le dessus, réduisit graduellement les dieux primitifs à n'être plus que des phases ou des attributs de Baal, le dieu suprême, le Dieu-Soleil.

Ces inscriptions ne nous ont donc rien appris sur le secret, — si secret il y a, — de la religion chaldéenne et n'ont pas ajouté grand chose aux renseignements que nous possédions déjà grâce aux fragments de Bérose, dont elles ont du reste permis de contrôler plus d'une fois l'exactitude.

Bérose, comme on sait, était un astronome chaldéen, prêtre de Bélus, à Babylone, qui vers l'an 280 avant J.-C., c'est-à-dire peu après la mort d'Alexandre, écrivit en grec une histoire de sa patrie. Comme il lisait les caractères cunéiformes, il sut mettre à profit les archives du temple de Babylone. Malheureusement l'œuvre de Bérose est presque entièrement perdue et il ne nous en reste que quelques débris recueillis par Josèphe, Eusèbe, Tatien, Pline, Vitruve et Sénèque. Cette perte est d'autant plus regrettable que Bérose, qui paraît avoir été un historien sérieux et consciencieux, affirmait avoir eu accès à des documents attribués à des êtres qui précédèrent l'apparition de l'homme sur cette terre ; et que son histoire, au dire d'Eusèbe, comprenait 215 myriades d'années. Nous avons également perdu sa cosmogonie et avec elle toute la science astronomique et astrologique de la Chaldée, qui était le grand secret des Mages de Babylone dont le zodiaque remonte à 6.700 ans. Nous n'avons plus que le traité connu sous le nom d'*Observations de Bel*, traduit en grec par Bérose, mais dont le texte qui nous est parvenu est de beaucoup postérieur.

Les quelques pages qui nous restent de la cosmologie chaldéenne offrent une sorte d'« anticipation » des théories darwiniennes au sujet de l'origine du monde et de l'homme. Le premier dieu et le premier homme étaient un dieu et un homme-poisson, — ce qui est du reste confirmé par l'embryologie, — nés de l'immense océan cosmique ; et la nature, en s'essayant à créer, produisit d'abord des monstres hétéroclites et inviables. Quant à l'astrologie, selon la remarque de A.-H. Sayce, le savant professeur d'assyriologie de l'Université d'Oxford, elle semble surtout basée sur l'axiome : *Post hoc ergo propter hoc*, c'est-à-dire que deux événements se succédant, le second était considéré comme la cause du premier ; de là le soin avec lequel les astrologues observaient les phénomènes célestes, afin de prédire empiriquement l'avenir.

Somme toute, nous ne connaissons que très imparfaitement la religion officielle de l'Assyrie et de la Babylonie dont les dieux paraissent assez barbares. Cette religion ne s'éclaire et ne devient intéressante qu'à partir de la conquête de Cyrus qui apporta les enseignements zoroastriens et hindous, ou confirma et compléta ceux qui vraisemblablement avaient déjà pénétré dans le secret des temples ; car la Chaldée avait toujours été le grand carrefour où se rencontraient forcément toutes les théologies de l'Inde, de l'Égypte et de la Perse. C'est ainsi que ces enseignements s'infiltrèrent dans la Bible, dans la Kabbale et de là dans le christianisme.

Mais en tant que religion-source, il faut constater que les documents authentiques récemment découverts ne nous apprennent presque rien et que tout ce qu'on a dit au sujet de l'ésotérisme et des mystères de la Chaldée ne repose que sur des légendes ou des écrits notoirement apocryphes.

LA GRÈCE ANTÉ-SOCRATIQUE

I

Il nous reste, pour compléter cette revue sommaire des religions primitives et cette recherche des origines du grand secret, à dire un mot de la théogonie anté-socratique.

Avant l'époque classique, les philosophes grecs, dont nous ne possédons d'ailleurs que des fragments mutilés, Pythagore, Pétron, Hippasos, Xénophane, Anaximandre, Anaximène, Héraclite, Alcmène, Parménide d'Élée, Leucippe, Démocrite, Empédocle, Anaxagore, se trouvaient déjà dans la situation inquiétante et bizarre où se retrouvèrent, quinze à vingt siècles plus tard, les Kabbalistes juifs et les occultistes du Moyen âge. Ils semblent comme eux pressentir l'existence ou la tradition obscure d'une religion plus ancienne et plus haute qui avait répondu ou essayé de répondre à toutes les questions angoissantes sur la divinité, l'origine du monde et son but, l'éternel devenir se juxtaposant à l'être immobile, le passage du chaos au cosmos, la sortie du grand tout et la rentrée en lui, l'esprit et la matière, le bien et le mal, la naissance de l'univers et sa fin, l'attraction et la répulsion, le sort, la place et la destinée de l'homme.

Elle avait surtout, cette tradition perdue que nous avons retrouvée presque intacte dans l'Inde, fait une fois pour toutes le départ entre le connaissable et l'inconnaissable, et attribuant à celui-ci la portion du lion, ose installer au centre de sa doctrine un immense aveu d'ignorance.

Mais les Grecs ne semblent pas se douter de l'existence de cet aveu, simple, net et profond, qui leur eût épargné bien des recherches vaines ; ou bien, leur esprit plus subtil, plus remuant, plus entreprenant, ne voulait pas l'admettre ; et toute leur cosmogonie, leur théogonie et leur métaphysique n'est qu'un effort incessant pour le diminuer en le subdivisant, en l'émiettant à l'infini, comme s'ils eussent espéré qu'à force de rendre petite chacune des parties de l'inconnaissable, ils arriveraient à en connaître le tout.

C'est du reste un spectacle extrêmement curieux que cette lutte de la raison grecque, lucide, exigeante, tatillonne et voulant se rendre compte de tout, contre les ténèbres grandioses et souvent désordonnées des religions asiatiques. On a dit qu'il manquait aux Grecs le sentiment de l'absolu divin ; ce sera vrai, mais plus tard. Au début, leur pensée, encore sous l'influence de traditions mystérieuses, est tout imprégnée du sentiment de cet absolu qui les a souvent, par les seuls sentiers de la raison, conduits beaucoup plus haut, et peut-être plus près de la vérité, que leurs successeurs plus habiles qui l'avaient perdu.

II

Mais sans entrer dans le détail de leurs tâtonnements vers une lumière pressentie ou profondément ensevelie dans la mémoire atavique ou dans des mythes qu'on ne comprenait plus, sans préciser l'apport de chacun de ces philosophes, ce qui nécessiterait des développements intéressants mais disproportionnés, notons simplement les concordances essentielles avec les théories védiques et brahmaniques.

Xénophane le premier, contre les poètes, affirma l'existence d'un dieu unique, immuable, éternel. « Dieu, dit-il, n'est point né, car il n'aurait pu naître que de son semblable ou de son contraire, deux hypothèses dont la première est inutile et la seconde absurde. On ne peut dire ni qu'il est infini ni qu'il est fini ; car infini, n'ayant ni milieu, ni commencement ni fin, il ne serait rien du tout ; et fini, il exigerait une limite et cesserait d'être un. Il n'est ni en repos ni en mouvement pour des raisons analogues. Bref, on ne peut lui donner que des caractères négatifs[39]. » Ce qui est bien, sous une autre forme, avouer qu'il est aussi inconnaissable que la cause première des hindous.

[39] ALBERT RIVAUD, *Le Problème du devenir*, p. 102.

Cet aveu de l'inconnaissable est du reste plus nettement formulé par Xénophane, en un autre endroit. « La vérité, il n'y a point d'homme, il n'y en aura point à la connaître, sur les dieux et sur les choses que j'enseigne. Arrivât-il à quelqu'un de rencontrer la vérité absolue, la rencontre demeurerait par lui-même ignorée. En toutes choses, il n'y a que la vraisemblance[40] ».

[40] Fr. 34.

Ne pourrions-nous pas répéter aujourd'hui ce qu'il y a plus de vingt-cinq siècles affirmait le fondateur de l'école d'Élée ? Y eut-il, ici comme ailleurs, infiltration de la tradition primitive ? C'est probable ; en tout cas, sur d'autres points, la filiation est nettement établie. Les Orphiques qui se trouvent à l'origine légendaire et préhistorique de la poésie et de la philosophie hellénique, sont en réalité, selon Hérodote, des Égyptiens[41]. Nous avons vu d'autre part que la religion égyptienne et la religion védique ont vraisemblablement une source commune ; et qu'il est pour l'instant impossible de dire avec certitude laquelle est la plus ancienne. Or, les Pythagoriciens ont emprunté aux Orphiques l'errance des âmes et la série des purifications. D'autres leur ont pris le mythe de Dionysos, avec toutes ses conséquences ; car Dionysos, dieu-enfant, tué par les Titans et dont Athénée sauve le cœur en le cachant dans une corbeille et que Jupiter fait renaître, c'est Osiris, c'est Krichna, c'est le Bouddha, c'est toutes les incarnations divines, c'est le dieu qui descend ou plutôt éclate dans l'homme, c'est la mort provisoire et illusoire et la renaissance réelle et immortelle, c'est l'union temporaire avec la divinité qui n'est que le prélude de l'union définitive, c'est le cycle sans fin de l'éternel devenir.

[41] *Hérodote*, II, 81.

III

Héraclite, dont on a fait le philosophe des mystères, éclaire ce cycle. « Dans la périphérie du cercle, le commencement et la fin ne font qu'un[42]. » « La divinité est chez lui, dit Auguste Dies, origine et terme des existences individuelles. L'unité se divise en pluralité et la pluralité se résoud en unité ; mais unité et pluralité sont contemporaines et l'émanation du sein de la divinité est accompagnée d'un retour incessant à la divinité[43]. » Tout sort de Dieu, tout rentre en Dieu, tout devient un, un devient tout. Dieu ou le monde est un, la pensée divine est répandue en toutes les parties de l'univers. En un mot, son système, comme celui des Védas et des Égyptiens, est un panthéisme unitaire.

[42] *Héraclite*, fr. 102.

[43] AUGUSTE DIES, *Le Cycle mystique*, p. 62.

Dans Empédocle, qui succède à Xénophane et à Parménide, nous retrouvons exactement, au sujet de la cosmologie, la théorie hindoue de l'expansion et de la contraction de l'univers, du dieu qui l'inspire et qui l'expire, de l'intériorisation et de l'extériorisation alternatives. « A l'origine, les éléments sont confondus dans la parfaite immobilité du Sphéros. Mais quand la force de répulsion qui demeurait inactive à la circonférence externe, a repris son mouvement vers le centre, la séparation commence. Elle irait jusqu'à l'absolue division et l'éparpillement de l'être, si une force antagoniste ne ramenait les éléments dispersés, jusqu'à ce que graduellement se recompose l'unité primitive[44]. »

[44] *Ibid.*, p. 84, 85.

Le génie grec qui, comme nous en voyons ici un exemple curieux, veut autant que possible expliquer l'inexplicable, que le génie hindou se contente de grandiosement ressentir, appelle haine la force de répulsion et amitié la force d'attraction. Ces forces existent de toute éternité. « Elles étaient, elles seront, et jamais, à ce que je crois, n'en sera dépouillée l'interminable durée.

Tantôt la pluralité se résoud en unité dans l'amour, et tantôt l'unité se redivise en pluralité dans la haine et le combat. »

Mais d'où vient cette dualité dans l'unité, d'où naissent ces principes opposés d'attraction et de répulsion, de haine et d'amour ? Empédocle et son école ne le disent point. Ils constatent simplement que dans la division, la répulsion ou la haine, il y a déchéance, et ascension ou réascension dans l'attraction, le retour à l'unité et à l'amour, de même que les Hindous mettaient l'idée de déchéance dans la matière et l'idée de remontée et de retour à la divinité, dans l'esprit. L'aveu d'ignorance est pareil, et pareils sont aussi les moyens de sortir de la haine et de se dégager de la matière. C'est d'abord la purification durant la vie, et une purification toute spirituelle. « Bienheureux, dit le philosophe d'Agrigente, est celui qui s'acquiert une richesse de pensées divines ; malheureux est celui qui n'a des dieux qu'une opinion ténébreuse. »

C'est encore et surtout la purification par les réincarnations successives. Empédocle va plus loin que la religion védique qui se borne, du moins jusqu'à Manou, à la réincarnation de l'homme dans l'homme, il admet comme les Pythagoriciens, la métempsycose, c'est-à-dire le passage de l'âme, non seulement dans les animaux, mais même dans les plantes, et la ramène ainsi, d'ascensions en ascensions jusqu'à la divinité d'où elle était sortie et où elle rentre et se résorbe, comme dans le Nirvana hindou.

IV

Il est peut-être intéressant, à ce propos, de faire remarquer que, comme dans la doctrine védique et égyptienne, il n'est pas question de récompenses et de châtiments extérieurs. Dans la métempsycose anté-socratique, comme dans la réincarnation hindoue, comme devant le tribunal d'Osiris, c'est l'âme qui se juge et qui, automatiquement, pour ainsi dire, se classe dans le bonheur ou le malheur auquel elle a droit. Il n'y a pas de dieu irrité et vengeur, il n'y a pas de lieux spéciaux et maudits réservés aux réprouvés et à l'expiation. On n'expie pas dans la mort, parce qu'il n'y a pas de mort. On n'expie que dans la vie et par la vie, en celle-ci ou dans l'autre. Ou plutôt il n'y a pas expiation, il y a simplement dessillation. L'âme est heureuse ou malheureuse parce qu'elle se sent ou ne se sent pas à sa place ; parce qu'elle peut ou ne peut pas atteindre la hauteur qu'elle avait espérée. Elle n'éprouve sa divinité qu'à proportion qu'elle a compris ou comprend Dieu. Dépouillée de tout ce qui était matériel et l'aveuglait, elle se voit tout d'un coup sur l'autre rive, telle qu'elle était à son insu sur celle-ci. De tous ses biens, de son bonheur ou de sa gloire, il ne lui reste que ses acquisitions intellectuelles et morales. Elle n'est plus autre chose que les pensées qu'elle eut et les vertus qu'elle pratiqua. Elle constate ce qu'elle est et entrevoit ce qu'elle aurait pu être ; et si elle n'est pas satisfaite, elle se dit : « c'est à recommencer », et elle rentre volontairement dans la vie pour viser plus haut et en ressortir plus grande et plus heureuse.

V

Au fond, dans la théologie et dans les mythes anté-socratiques, comme dans les théologies et les mythes des religions qui les précédèrent, il n'y a pas d'enfer, il n'y a pas de paradis. Aux souterrains de l'Hadès, comme aux prés des Champs-Élysées, ne se trouvent que les ombres, les mânes astrales, les doubles égyptiens, les restes inconsistants de nos désincarnés. Les instruments de leur supplice ou les accessoires de leur pâle félicité, ne sont que des pièces d'identité, à l'aide desquels, comme les vagues interlocuteurs de nos spirites, ils cherchent à se faire reconnaître. Ici, aussi bien que dans l'Inde, l'enfer n'est pas un lieu, mais un état de l'âme après la mort. Les mânes ne sont pas châtiées dans la pénombre, elles continuent seulement d'y vivre les reflets de leur vie d'autrefois. Tantale y a soif, Sisyphe y roule son rocher, les Danaïdes s'y épuisent à remplir leur tonneau sans fond, Achille y brandit sa lance, Ulysse y porte sa rame, Hercule y tend son arc ; leurs vaines effigies répètent à l'infini les gestes mémorables ou habituels de leur existence terrestre ; mais l'esprit impérissable, l'âme immortelle n'est pas là, elle se purifie, elle agit autre part, en d'autres corps, sur la longue route invisible qui la ramène en Dieu.

A ce moment, comme à toutes les hautes origines, il n'y a pas encore de crainte de la mort et de l'au-delà. Cette crainte ne se montre et ne se développe dans les grandes religions que lorsque celles-ci commencent à se corrompre au profit des prêtres et des rois. L'intuition et l'intelligence de l'humanité ne regagnèrent jamais l'altitude qu'elles atteignirent quand elles conçurent de la divinité l'idée dont nous retrouvons les traces les plus pures dans les traditions védiques. On peut dire qu'en ces jours l'homme découvrit au plus haut de lui-même et y fixa, une fois pour toutes, la notion du divin, qu'il oublia depuis, qu'il altéra souvent ; mais sous les oublis et les altérations éphémères, elle transparaît toujours. Et c'est ainsi, qu'au fond de tous ces mythes, de tous ces enseignements parfois si disparates, nous sentons le même optimisme, ou du moins la même confiance ignorante, car le secret le plus ancien de l'homme est bien une immense, une aveugle confiance en la divinité dont il était sorti sans cesser d'en faire partie et dans laquelle il rentrera un jour.

Il y aurait encore bien d'autres points de contact à signaler, par exemple dans la théorie des atomistes qui renferme d'étranges intuitions. Leucippe et Démocrite, notamment, enseignent que le mouvement gyratoire des sphères existe de toute éternité et Anaxagore développe la théorie des tourbillons élémentaires que retrouve la science contemporaine. Mais ce que nous venons de noter paraîtra sans doute suffisant. Du reste, on aborde la plupart des grands mystères de l'homme dans cette philosophie trop généralement regardée comme un tissu d'absurdité et de spéculations puériles. A l'étudier de plus près, on y constate au contraire les plus merveilleux efforts de la raison humaine qui, secrètement soutenue par la vérité que contenaient des mythes obnubilés, serre de plus près qu'un grand nombre d'hypothèses modernes, le vraisemblable et le plausible.

VI

On peut supposer que les parties les plus hautes de cette théosophie et de cette philosophie, c'est-à-dire celles qui touchaient à la cause suprême et à l'inconnaissable, peu à peu négligées et oubliées dans la théosophie et la philosophie classiques, devinrent, comme en Égypte et dans l'Inde, le secret des hiérophantes et formèrent, avec des traditions orales et plus directes, le fond de ces fameux mystères grecs, notamment de ceux d'Eleusis, dont on n'a jamais percé les ténèbres.

Le dernier mot du grand secret devait y être aussi l'aveu d'une ignorance invincible et sacrée. En tout cas, ce qu'il y avait déjà de négatif et d'inconnaissable dans les mythes et dans cette philosophie qu'on lui rappelait, suffisait à anéantir chez l'initié les dieux qu'adorait le profane, en même temps qu'il apprenait pourquoi un enseignement, si dangereux pour ceux qui n'étaient pas à même d'en comprendre l'ampleur, devait rester occulte. Il n'y avait probablement pas autre chose dans cette révélation suprême, parce qu'il n'y a probablement pas d'autre secret que l'homme puisse posséder ou concevoir ; qu'il ne peut avoir existé, qu'il n'existera jamais de formule qui donne la clef de l'univers.

Mais outre cet aveu qui devait paraître écrasant ou libérateur, selon la qualité de l'esprit qui le recevait, on initiait probablement le néophyte à une science occulte plus positive, analogue à celle que possédaient les prêtres égyptiens et hindous. On devait surtout lui enseigner le moyen d'arriver à l'union divine ou à l'immersion dans la divinité par l'extase. Il est permis de supposer que cette extase était obtenue à l'aide de procédés hypnotiques, mais d'un hypnotisme beaucoup plus savant et plus développé que le nôtre, et dans lequel l'hypnotisme proprement dit, le magnétisme, le médiumnisme, et toutes les mystérieuses forces, odiques et autres, du subconscient, mieux connues qu'elles ne le sont aujourd'hui, se mêlaient et étaient mises en œuvre.

Celui que plusieurs considèrent comme le plus grand théosophe contemporain, Rudolph Steiner, prétend, ainsi que nous le verrons plus loin, avoir retrouvé le moyen, ou l'un des moyens, de provoquer cette extase et de se mettre en communication avec les mondes supérieurs et avec Dieu.

VII

De ce qui précède, on peut, semble-t-il, conclure que les grands initiés, ou pour parler plus exactement, les adeptes des religions ésotériques, des collèges de prêtres ou des fraternités occultes, sur l'origine et le but de l'univers, sur le caractère inconnaissable de la cause première, ou du dieu des dieux, sur les devoirs et les destinées de l'homme, ne savaient pas autre chose que ce qu'avaient ouvertement enseigné, à ceux qui étaient capables de le comprendre, les grandes religions primitives. Ils ne savaient pas autre chose pour la raison que jusqu'ici il n'a pas été possible de savoir et par conséquent d'enseigner autre chose. S'ils avaient su autre chose, nous le saurions aussi ; car il n'est guère admissible que l'essentiel d'un tel secret n'eût pas transpiré depuis tant de milliers d'années qu'il était connu de tant de milliers d'hommes. S'il était possible d'imaginer qu'il existe et que nous le puissions connaître, le connaissant, nous ne serions plus des hommes. Il y a à la connaissance des limites que le cerveau n'a pas encore franchies, qu'il ne pourra jamais franchir sans cesser d'être un cerveau humain. Tout au plus, l'aveu de l'agnosticisme irréductible et du panthéisme intégral, qui sont les deux pôles entre lesquels a toujours oscillé, oscille encore et probablement oscillera toujours la pensée humaine la plus haute, pouvait-il être plus franc, plus net, plus dénué de formes, plus total et mettre en garde ceux qui le recevaient contre les apparences fallacieuses et les mensonges nécessaires des théogonies et des mythologies officielles.

VIII

Non plus qu'à une certaine hauteur il n'y avait de cosmogonie, de théogonie ou de théologie ésotérique, n'y avait-il de morale secrète. Sous ce rapport, nous venons de le voir à la hâte, les religions primitives avaient tout exploré, sans laisser un coin d'ombre où pussent se réfugier les amants du mystère et les chercheurs d'inconnu. Leur morale est d'emblée, ou paraît être d'emblée, — car nous ignorons les milliers d'années d'élaboration, — la plus élevée, la plus parfaite que l'homme puisse espérer de pratiquer. Elle a tout éprouvé, elle a tenté et gravi toutes les montagnes. Où elle a passé, et elle a passé partout, surtout sur les plus âpres cimes, il ne reste rien à glaner. Nous sommes encore à des centaines de siècles au-dessous de ce qu'elle atteignit sur les sommets de l'abnégation, de la bonté, de la pitié, du sacrifice, du don total de soi ; et principalement dans la recherche de ce que Novalis appelait « notre moi transcendental », c'est-à-dire la partie divine et éternelle de notre être.

Quant aux sanctions, elles allèrent également à l'extrême de ce que l'intelligence peut concevoir ; car parties de l'inconnaissable, elles ne pouvaient, à peine de se démentir, attribuer à cet inconnaissable une volonté quelconque. Elles devaient donc mettre en nous-mêmes la récompense et le châtiment d'une morale qui ne pouvait naître qu'en nous. Ici non plus il n'y avait pas la moindre place pour un enseignement différent et occulte.

Reste l'énigme de l'origine du mal, de l'antagonisme apparent de l'esprit et de la matière, de la nécessité du sacrifice, de la douleur et de l'expiation. Ici encore, à moins de se contredire, la tradition occulte ne pouvait rien fonder sur l'inconnaissable. Elle avait simplement à admettre, à titre provisoire, l'explication la plus haute des religions ésotériques qui regardent la matière et les ténèbres, la division et la séparation, non comme le mal en soi, mais comme des états transitoires de la substance une et éternelle, une phase du va-et-vient du devenir sans fin, dont il fallait s'efforcer de sortir pour atteindre le plus tôt possible l'état ou la phase spirituelle. Elle n'avait et sans doute ne pouvait avoir à cet égard un enseignement plus satisfaisant. En tout cas aucun écho n'en est parvenu jusqu'à nous et il est probable qu'elle se contentait, une fois de plus, d'accentuer l'aveu de son ignorance invincible.

IX

Voilà donc les points, — et ce sont les plus importants, — sur lesquels l'enseignement ésotérique, s'il y eut à l'origine un tel enseignement, devait nécessairement se confondre avec l'enseignement public des religions primitives saisies près de leurs sources. Il est vraisemblable, je l'ai déjà dit, que cet enseignement ne prit un caractère secret que beaucoup plus tard, quand les religions officielles se furent extraordinairement compliquées et profondément corrompues. L'ésotérisme ne fut alors que le retour à la pureté originelle, de même qu'en Grèce, les doctrines ou les hypothèses anté-socratiques, d'origine, quoiqu'on en ait dit, évidemment asiatique, devinrent celles des mystères. Il est donc à peu près certain que sur ces questions, les occultistes de tous les temps et de tous les pays n'en savaient pas plus que nous. Mais il est d'autres domaines où ils paraissent avoir possédé des traditions que les religions officielles ne nous ont pas transmises et dont les successeurs des grands adeptes de l'Inde, de l'Égypte, de la Perse, de la Chaldée et de la Grèce, les Kabbalistes, les néo-platoniciens, les gnostiques et les hermétistes du Moyen âge ont plus ou moins vainement tenté de retrouver le secret.

X

Ce domaine est celui des forces inconnues de la nature. Il n'est plus guère possible de contester que les prêtres de l'Inde, de l'Égypte, les Mages de la Perse et de la Chaldée avaient en chimie, en physique, en astronomie, en médecine, des connaissances que sur certains points nous avons sans doute dépassées, mais que sur d'autres nous sommes peut-être fort loin d'avoir récupérées. Sans rappeler ici ces rochers de quinze cents tonnes transportés à d'énormes distances par des procédés inconnus, ou ces pierres branlantes, blocs de cinq cent mille kilos qui n'appartiennent jamais au sol sur lequel ils se trouvent et qui remontent aux temps préhistoriques des Atlantes, il est indubitable que la grande pyramide, celle de Khéops, par exemple, est une sorte d'immense hiéroglyphe qui, par ses dimensions, ses proportions, ses dispositions intérieures, son orientation astronomique, propose toute une série d'énigmes dont on n'a jusqu'ici déchiffré que les plus évidentes. Une tradition occulte avait toujours affirmé que cette pyramide recélait des secrets essentiels, mais c'est tout récemment qu'on a commencé de les démêler. L'abbé Moreux, le savant directeur de l'observatoire de Bourges, résumant parfaitement la question dans ses *Énigmes de la Science*[45], nous montre que le méridien de la pyramide, ou la ligne nord-sud, passant par son sommet, est le méridien idéal, c'est-à-dire celui qui traverse le plus de continents et le moins de mers, et que si l'on calcule exactement l'étendue des terres que l'homme peut habiter, il les divise en deux parties rigoureusement égales. D'autre part, en multipliant la hauteur de la pyramide par un million, on trouve la distance de la terre au soleil, soit 148.208.000 kilomètres, ce qui est, à un million de kilomètres près, la distance qu'à la suite de longs travaux, d'expéditions lointaines et dangereuses, et grâce aux progrès de la photographie céleste, la science moderne a définitivement adoptée.

[45] Abbé TH. MOREUX, *Les Énigmes de la science*, p. 5 et suiv.

De son côté, le célèbre astronome Clarcke a déduit des mesures récentes le rayon polaire de la terre qu'il évalue à 6.356.521 mètres. Or, c'est exactement la coudée pyramidale, soit 0,6356,521 multiplié par 10 millions. Ensuite, en divisant le côté de la pyramide par la coudée employée dans sa construction, on trouve la longueur de l'année sidérale, c'est-à-dire le temps que le soleil met à revenir au même point du ciel. Puis, si nous multiplions le pouce pyramidal par 100 millions, nous obtiendrons la longueur parcourue par la terre sur son orbite en un jour de vingt-quatre heures, avec une approximation plus grande que ne pourraient le permettre nos mesures actuelles, le yard ou le mètre français. Enfin, le passage d'entrée de la pyramide regardait l'étoile polaire de l'époque ; il aurait donc été orienté en tenant compte de la précession des équinoxes, phénomène d'après lequel le pôle céleste revient coïncider avec les mêmes étoiles au bout de 25.796 ans.

Nous voyons donc, comme le dit l'abbé Moreux, « que toutes ces conquêtes de la science moderne se trouvent dans la grande pyramide, à l'état de grandeurs naturelles, mesurées et toujours mesurables, ayant seulement besoin pour se montrer au grand jour, de la signification métrique qu'elles portent en elles ».

Il est impossible d'attribuer à de simples coïncidences ces enseignements singuliers. Ils nous prouvent que les prêtres égyptiens avaient en géographie, en mathématiques, en géométrie, en astronomie, des connaissances que nous venons à peine de reconquérir ; et rien ne nous dit que cette énigmatique pyramide ne renferme pas une foule d'autres secrets que nous n'avons pas encore découverts. Mais le plus étrange, le plus déconcertant, c'est qu'aucun des innombrables hiéroglyphes qu'on a déchiffrés, rien de ce que nous trouvons dans toute la littérature de l'Égypte antique, ne fait allusion à cette science extraordinaire. Il est même évident que les prêtres ont voulu la cacher ; la coudée pyramidale ou sacrée, clef de tous les calculs et de toutes les mesures scientifiques, n'était pas employée d'une façon courante ; et tout ce savoir miraculeux, venu on ne sait d'où, était volontairement et systématiquement enseveli dans un tombeau et proposé comme une énigme ou un défi aux siècles futurs. La révélation d'un tel mystère, due au hasard, ne nous permet-elle pas de soupçonner que bien d'autres mystères, de toute nature, soit dans cette pyramide, soit en d'autres monuments ou dans les écritures sacrées, attendent d'un autre hasard une révélation analogue ?

En l'attendant, il est en tout cas très probable que les prêtres égyptiens avaient enseigné aux mages de la Chaldée le secret de ce qu'Eliphas Lévi appelle « une pyrotechnie transcendentale » et que les uns et les autres connaissaient l'électricité et avaient des moyens de la produire et de la diriger que nous ignorons encore. En effet, Pline nous rapporte que Numa, qui fut initié aux mystères des mages, possédait l'art de former et de diriger la foudre et qu'il se servit avec succès de sa batterie foudroyante contre un monstre nommé Volta qui désolait la campagne romaine[46]. Devançant l'invention du téléphone, les prêtres égyptiens pouvaient encore, nous dit-on, instantanément communiquer d'un temple à l'autre, quelle que fût la distance. Du reste la Bible[47] nous a laissé le témoignage de leur science et de leur puissance, lorsqu'elle nous les montre, parmi les dix plaies qui n'étaient que des œuvres de magie, luttant à coups de miracles contre Moïse qui était lui-même un de leurs initiés.

[46] *Pline*, l. II, ch. 53.

[47] *Exode*, VII, VIII.

XI

Mais c'est surtout en ce qui touche au subconscient, aux mystères de l'Hôte inconnu, à ce que nous appelons aujourd'hui la psychologie anormale, à l'astral, à l'hypnotisme, au médiumnisme, aux propriétés de l'éther, aux fluides ignorés, à la médecine odique, à l'hyperchimie, à la survivance, à la connaissance de l'avenir, qu'ils devaient posséder des secrets à la recherche desquels les hermétistes du Moyen âge, au milieu de leurs pentacles, de leurs cryptogrammes, de leurs grimoires falsifiés et méconnaissables, se sont exténués. C'est apparemment dans ces régions de l'occultisme qu'il nous reste quelque chose à glaner ; et c'est vers elles que revient, par d'autres chemins, notre métapsychique.

C'est également dans ces parages ténébreux que les derniers initiés de l'Inde, héritiers des traditions ésotériques, l'emportent encore de beaucoup sur tout ce que nous savons et produisent ces phénomènes singuliers que la jonglerie et la supercherie ne suffisent pas toujours à expliquer et qui provoquent l'étonnement des voyageurs les plus sceptiques et les plus soupçonneux.

Ont-ils en réserve, comme ils le prétendent, d'autres secrets, notamment ceux qui leur permettraient de manipuler certaines forces terribles et irrésistibles, telle que la force intramoléculaire ou la puissance formidable et inépuisable de la gravitation, du son ou de l'éther ? C'est possible mais moins certain. Il est assez incompréhensible qu'en cas d'urgence, quand il était question de vie ou de mort, ils n'y aient jamais eu recours. L'Inde, comme l'Égypte, la Perse et la Chaldée, a subi d'effroyables invasions qui non seulement menaçaient sa civilisation, anéantissaient ses richesses, brûlaient ses livres sacrés, massacraient ses habitants, mais s'attaquaient à ses dieux, violaient ses temples, exterminaient ses prêtres. Cependant on ne constate pas qu'elle ait jamais tourné contre ses agresseurs une arme surnaturelle. On peut répondre que vu l'immensité des territoires, ces invasions ne furent jamais totales, que les derniers initiés pouvaient fuir devant elles et se réfugier en d'inaccessibles montagnes ; qu'au surplus, leur royaume n'étant pas de ce monde, ils ne se sentaient pas le droit d'user de leurs pouvoirs supra-terrestres, car un axiome fondamental de la haute science interdit de l'abaisser à la poursuite d'un dessein matériellement avantageux ; c'est encore possible. Il n'en reste pas moins que la domination anglaise et surtout la conquête du Thibet, en 1904, par le colonel Younghusband, ont porté un coup très sensible au prestige de leurs connaissances occultes.

XII

Jusqu'en 1904, en effet, le Thibet était considéré par les occultistes comme le dernier asile de leur science. Il possédait, à leur dire, d'immenses bibliothèques souterraines, aux livres innombrables, dont certains remontaient aux temps préhistoriques des Atlantes, où étaient consignées, en des langues connues seulement de quelques adeptes, les révélations suprêmes et immémoriales. Au sein de ses lamasseries où pullulaient des milliers de moines, il nourrissait un collège de grands initiés, à la tête duquel se trouvait, initié des initiés, et incarnation de Dieu sur la terre, le Dalai-Lama.

Aucun Européen n'avait jamais, affirmait-on, violé son territoire sacré ; ce qui du reste n'était pas tout à fait exact, car en 1661, en 1715 et en 1719, deux ou trois jésuites et quelques capucins y avaient pénétré. En 1740, un voyageur hollandais séjourna dans Lhassa, puis, en 1813, un Anglais. Ensuite, en 1846, les missionnaires Huc et Gobet, déguisés en lamas, parvinrent à s'y glisser. Mais depuis, malgré de multiples et périlleuses tentatives, dont la dernière et la plus notoire fut celle de Sven-Hedin, aucun explorateur n'avait réussi à atteindre la ville sainte. On peut donc dire que de toutes les terres de notre globe, c'était la plus mystérieuse et la plus prestigieuse.

A l'annonce de l'expédition sacrilège, on s'attendit, dans le monde des occultistes, à d'étranges événements. Je me rappelle la confiance, la sereine certitude avec laquelle l'un des plus savants, des plus sérieux de ceux-ci, au début de l'année 1904, me disait : « Ils ne savent pas à quoi ils s'attaquent. Ils vont provoquer dans leur refuge les plus redoutables puissances. Il est à peu près certain que les derniers adeptes transhimalayens possèdent le secret de la terrible force éthérique ou sidérale, le « Mash-maket » des Atlantes, l'irrésistible « Vril » dont parle Bulwer-Lytton, cette force vibratoire qui, d'après les instructions qui se trouvent dans l'Astra-Vidya, peut réduire en cendre cent mille hommes et éléphants, aussi facilement qu'elle réduirait en poudre un rat mort. Il va se passer des choses extraordinaires. Ils n'atteindront jamais l'inviolable Potala ! »

Il ne se passa rien du tout, du moins rien de ce qu'on attendait. Après de longs pourparlois diplomatiques, où se révèlèrent, sous un jour déconcertant, l'impéritie, l'incompréhension, la sénilité, la mauvaise foi chinoise, et l'astuce enfantine du collège des Lamas, les troupes du colonel Younghusband, composées surtout de Sikhs et de Gurkhas, encadrés d'Européens, se mirent en marche. Dans ces régions déchiquetées et sur ces hauts plateaux glacés, désolés et inhabitables de l'Himalaya, les plus âpres du monde, elles eurent à surmonter des difficultés inouïes et dans des défilés qu'une poignée d'hommes bien commandés eût rendus inexpugnables, se heurtèrent plus d'une fois à la résistance inhabile et courageuse des soldats du Dalai-Lama, fanatisés par les « mantras » et les charmes de leurs prêtres, mais armés de fusils à mèche et de mauvais canons indigènes. Les Anglais approchèrent enfin de Lhassa, et les abbés des grands monastères, affolés, durant cinq jours, maudirent solennellement l'envahisseur, mirent en mouvement des milliers de moulins à prières, eurent recours aux suprêmes incantations ; inutilement. Le 4 août, le colonel Younghusband fit son entrée dans la capitale du Thibet, occupa le Saint des Saints, la résidence de Dieu : la Potala, immense et fantastique édifice qui s'élance au-dessus des masures de la ville et ressemble, avec ses terrasses, ses toits plats, ses bastions, à une forteresse, à une superposition de villas italiennes, à une caserne aux fenêtres innombrables et à certains gratte-ciel américains. Le Dalai-Lama, la treizième incarnation de la divinité, le pape du Bouddhisme, le père spirituel de six cent millions d'âmes, avait honteusement pris la fuite et ne fut jamais retrouvé. On explora les couvents et les sanctuaires où grouillaient plus de trente mille moines résignés et indifférents et on n'y découvrit que les restes de la plus haute religion que connurent les hommes, achevant de se décomposer dans de puériles superstitions, dans le mécanisme des moulins à prières, et dans la plus déplorable sorcellerie. Ainsi s'effondra le suprême asile du mystère et furent livrés aux profanes les derniers secrets de la terre.

LES GNOSTIQUES ET LES NÉO-PLATONICIENS

I

Laissant de côté Platon et son école dont les théories sont trop connues pour qu'il soit utile de les rappeler ici, nous quittons maintenant les eaux relativement claires des religions primitives pour entrer dans les remous confus qui en dérivent. A mesure que se perdaient les notions grandioses et simples que leur altitude même dérobait aux regards, celles qui leur succédaient et qui n'en étaient que des reflets déformés ou brisés, s'obscurcissaient et se multipliaient. Il suffira de les passer assez rapidement en revue ; car après ce que nous savons, ou plutôt après ce que nous savons ne pouvoir savoir, elles n'ont plus grand chose à nous apprendre et ne font qu'embrouiller et compliquer sans fruit l'aveu de l'inconnaissable et les conséquences qui en découlent.

Avant la lecture des hiéroglyphes et la découverte des livres sacrés de l'Inde et de la Perse, jusqu'aux travaux de nos métapsychistes scientifiques, les seules sources de l'occultisme étaient la Kabbale et les écrits des gnostiques et des néo-platoniciens d'Alexandrie.

Il est assez difficile de situer chronologiquement la Kabbale. Le Sefer Yezirah, tel que nous le connaissons, qui en est le portique, semble avoir été écrit vers l'an 829 de notre ère, et le Zohar qui en est le temple, vers la fin du XIIIe siècle. Mais une partie des doctrines qu'elle enseigne remonte beaucoup plus haut, c'est-à-dire jusqu'à la captivité de Babylone et même jusqu'au séjour des Hébreux en Égypte. Il faudrait donc, à ce point de vue, la placer avant les gnostiques et les néo-platoniciens ; mais d'autre part, elle a fait à ceux-ci tant d'emprunts, ils ont exercé sur elle une telle influence, qu'il est presque impossible d'en parler avant qu'on ait fait connaître ceux à qui elle doit le meilleur et le pire de ses théories.

II

Il est vrai que de leur côté, ces traditions juives mêlèrent leurs flots abondants à ceux des autres religions orientales qui du Ier au VIe siècle envahirent la théosophie et la philosophie grecque et romaine et firent qu'on remit en question et qu'on se reprit à étudier de plus près les croyances et les théories sur lesquelles on avait vécu. Il y eut alors, dans le monde intellectuel, et surtout à Alexandrie où confluaient toutes les races et toutes les doctrines, une étrange fièvre de curiosité, d'inquiétude et d'activité. Pour la première fois, — elle le croyait du moins, — la philosophie hellénique se trouvait directement en contact avec les religions et les philosophies orientales, audacieuses, grandioses, abyssales, que jusqu'alors elle ne connaissait que par ouï-dire ou par bribes parcimonieuses. Les Gnostiques apportaient entre autres les doctrines de Zoroastre ; les énigmatiques Esséniens, théosophes et théurgistes, venus des bords de la Mer Morte, qui disparurent assez mystérieusement, bien qu'au temps de Philon ils fussent au nombre de 40.000, ou finirent par se confondre avec les Gnostiques, représentaient sans doute plus directement l'élément hindou ; les Kabbalistes d'avant la Kabbale écrite ravivaient les enseignements de la Perse, de la Chaldée et de l'Égypte, les Chrétiens s'éveillaient entre la Bible et les légendes de l'Inde, les Néo-platoniciens qu'on pourrait plus justement appeler les Néo-orphiques ou Néo-pythagoriciens, revenaient aux vieux philosophes du VIe siècle avant notre ère et s'efforçaient d'y retrouver des vérités trop longtemps méconnues que les révélations orientales remettaient brusquement en lumière.

Nous n'avons pas à étudier ici cette effervescence qui est une des crises les plus intenses et, à certains égards, les plus fécondes que l'on constate dans l'histoire de la pensée humaine. Pour ce qui nous intéresse en ce moment, il suffit de noter qu'au point de vue de l'idée de Dieu, de la cause première, de l'esprit pré-cosmique, ou de la réalité absolue qui précède tout être manifesté ou conditionné, comme au point de vue de l'origine, du but, de l'économie de l'univers et de la nature du bien et du mal, elle ne nous apprend rien que nous n'ayons trouvé dans les religions et les philosophies antérieures. Les manifestations de l'Inconnaissable, la division de l'Unité primordiale, la descente de l'esprit dans la matière sont attribuées au *Logos* et changent de nom sans changer de ténèbres. Pour tenter d'expliquer les contradictions insolubles entre un dieu immobile et un univers sans cesse en mouvement, entre un dieu inconnaissable qu'on finit par connaître dans tous ses détails, entre un dieu bon qui crée, veut ou permet le mal, on imagine d'abord une triple hypostase, puis une foule de divinités intermédiaires, démiurges ou dédoublements de Dieu, Éons, facultés ou attributs divins personnifiés, anges et démons. Dans le remous de ces spécialisations, de ces distinctions, de ces subdivisions ingénieuses, subtiles et inextricables, le simple et immense aveu de l'Inconnaissable est bientôt submergé d'un tel flot de paroles qu'on ne l'aperçoit plus. On ne tarde pas à l'oublier complètement, on n'y fait plus allusion, et l'Inconnu suprême engendre tant de divinités secondaires et si bien connues, qu'il n'ose plus rappeler aux hommes qu'ils ne le connaîtront jamais. Naturellement, plus il y a de mots et d'éclaircissements, plus les vérités primitives sur lesquelles on travaille s'effacent et s'obscurcissent ; si bien qu'après avoir atteint ou regagné dans Philon, et surtout dans Plotin, les plus hauts, sommets de la pensée et être descendu d'une part aux élucubrations du casse-tête chinois qu'est le fameux « Pistis-Sophia » attribué à Valentin et de l'autre aux prétendues révélations de Jamblique sur les mystères égyptiens, révélations qui ne révèlent rien du tout, tout ce mouvement gnostique et néo-platonicien finit, avec les successeurs de Valentin et les continuateurs de Porphyre et de Proclus, par sombrer dans la plus puérile logomachie et la plus vulgaire sorcellerie.

Il est donc inutile d'insister ; non que l'étude de cette effervescence soit sans intérêt ; au contraire, il est peu de moments dans l'histoire où l'intelligence ait eu à affronter des problèmes aussi nouveaux, aussi complexes, aussi ardus ; où elle ait fait preuve de plus de puissance, de vitalité et d'enthousiasme. Mais ce que j'en ai dit suffit à mon dessein qui est simplement de montrer que les occultistes de la Grèce et surtout ceux du Moyen âge qui nous intéressent particulièrement parce qu'ils sont plus près de nous et que leur souvenir est demeuré plus vivace, n'ont rien à nous apprendre d'essentiel que nous ne connaissions déjà par l'Inde, l'Égypte et la Perse.

LA KABBALE

I

Nous arrivons enfin à la Kabbale qui est en quelque sorte le nœud vital de l'occultisme tel qu'on l'entend communément.

Ce mot de Kabbale, qui couvre des doctrines en général très peu ou très mal connues, demeure pour les uns chargé de prestiges et de mystères qui les inquiètent et les font presque frissonner comme s'ils y voyaient un reflet de flammes infernales ; tandis que pour d'autres, il n'évoque qu'un illisible fatras de superstitions absurdes, de sornettes, de bizarres formules à prétentions diaboliques, d'énigmes enfantines, d'élucubrations périmées qui ne valent plus un examen sérieux.

Bien qu'il répugne d'employer à son propos une expression que l'usage a rendue aussi fruste, la vérité c'est que la Kabbale ne mérite ni cet excès d'honneur ni cette indignité. D'abord, il y a deux Kabbales, la Kabbale proprement dite ou Kabbale théorique, la seule dont nous ayons à nous occuper, et la Kabbale pratique qui n'est qu'une sorte de dermatose sénile qui peu à peu envahit les parties les moins nobles de la première et dégénéra en imbéciles pratiques de magie noire et de basse sorcellerie auxquelles il est impossible de s'intéresser.

L'étude philosophique, critique et scientifique de la Kabbale, comme celle du Védisme, des hiéroglyphes, du Mazdéisme, date d'hier. Avant les travaux d'Ad. Franck, on ne connaissait la Kabbale que par l'œuvre de Knorr von Rosenroth, la *Kabbala denudata*, publiée en 1677, qui ne considérait dans le Zohar que le « Livre des Mystères » et « La Grande Assemblée », c'est-à-dire ses parties les plus obscures et négligeant les textes ne donnait que des extraits, mal entendus, de commentateurs. Ad. Franck, dans sa *Kabbale ou la philosophie religieuse des Hébreux*, parue en 1842, reproduit pour la première fois les textes complets et authentiques, les traduit et les commente. Joël et Jellinek poursuivent ses recherches, discutent ses conclusions, rectifient ses erreurs ; et le dernier en date des interprètes de ces livres mystérieux, S. Karppe, dans son *Étude sur les origines et la nature du Zohar*, reprenant la question de plus haut et remontant aux sources du mysticisme juif, nous donne en 1901 une étude qui permet de s'aventurer sans crainte sur ces terres suspectes et dangereuses.

La Kabbale, de l'hébreu « Kaballah » qui, comme vous l'apprendront tous les dictionnaires, signifie tradition, a la prétention d'être un enseignement occulte, en marge ou plutôt au-dessus de l'enseignement de la Bible, ou des doctrines orthodoxes de la Thora c'est-à-dire du Pentateuque, transmis oralement depuis Moïse, qui les aurait reçus directement de Dieu, jusqu'à une époque qui va du IXe au XIIIe et XIVe siècle de notre ère, où ces secrets murmurés de bouche à oreille, comme on disait entre initiés, furent enfin fixés par écrit. Il est impossible de savoir si cette prétention est plus ou moins fondée, car au delà d'un ou deux siècles avant J.-C., les traces historiques qui rattacheraient la tradition que nous connaissons à une tradition antérieure font absolument défaut. Nous devons donc nous borner à prendre les deux livres de la Kabbale, le *Sefer Yerizah* et le *Zohar*, tels qu'ils se présentent, et examiner ce qu'ils contenaient au moment où ils furent écrits.

Le *Sefer Yerizah* ou « Livre de la Création », qu'on attribua d'abord assez puérilement au patriarche Abraham, puis, sans certitude, à Rabbi Akiba, est somme toute l'œuvre d'un auteur inconnu qui le rédigea entre le VIIIe et le IXe siècle de notre ère.

Pour donner une idée de cette œuvre, il suffira de transcrire ici quelques paragraphes du chapitre premier :

> « Par 32 voix merveilleuses de sagesse, Yah, Yehovah Zebaoth, Dieu vivant, Dieu fort élevé et sublime, demeurant éternellement, dont le nom est saint (il est sublime et saint) a tracé et créé son monde en trois livres : le livre proprement dit, le nombre et la parole.
>
> « Dix Sephiroth sans rien et 22 lettres dont 3 lettres fondamentales, 7 lettres doubles et 12 lettres simples.
>
> « Dix Sephiroth sans rien, selon le nombre de 10 doigts, 5 en face de 5. Et l'alliance de l'Un est adaptée juste au milieu par la circoncision de la langue et la circoncision de la chair.
>
> « Dix Sephiroth sans rien ; 10 et non 9, 10 et
>
> non 11. Comprends avec sagesse et médite avec intelligence, examine et creuse-les. Rapporte la chose à sa clarté et mets son auteur à sa place.
>
> « Dix Sephiroth sans rien, leur mesure est le 10 sans fin : profondeur de commencement et profondeur de fin ; profondeur de bien et profondeur de mal ; profondeur de haut et profondeur de bas ; profondeur d'Orient et profondeur d'Occident ; profondeur de Nord et profondeur de Sud ; un maître unique, Dieu, roi fidèle, règne sur tous du haut de sa demeure sainte et éternelle.
>
> « Dix Sephiroth sans rien ; leur aspect est comme l'éclair, mais leur fin n'a pas de fin. Son mot sur eux est qu'ils

courent et viennent, et selon sa parole ils se précipitent comme la tempête et se prosternent devant son trône.

> « Dix Sephiroth sans rien ; leur fin fixée à leur commencement et leur commencement à leur fin, comme une flamme attachée au charbon. Le maître est unique et il n'a pas de second. Or devant l'Un que comptes-tu ? »

Et cela continue ainsi, longuement, s'enfonçant dans une sorte d'incompréhensible superstition de lettres et de nombres, considérés comme des puissances abstraites. Il est certain que l'on fait dire à de tels textes tout ce qu'on veut et qu'on en tire ce qu'on désire. On y rencontre pour la première fois la notion des *Sephiroth* que le *Zohar* développera amplement ; et on y démêle un système de création où « le Verbe, c'est-à-dire la parole de Dieu, en exprimant les lettres *alef, mem, schin*, comme l'explique S. Karppe, l'un des plus savants commentateurs du livre énigmatique, donne naissance aux trois éléments, et, en produisant par ces lettres six combinaisons, il donne naissance aux six directions, c'est-à-dire donne aux éléments la faculté de se répandre dans tous les sens. Puis, imprimant dans ces éléments les 22 lettres de l'alphabet, y compris les 3 lettres, *alef, mem, schin* (non plus en tant qu'éléments substantiels, mais formels), et en exprimant toute la variété de mots qui résultent de ces lettres, il produit toute la multiplicité des choses[48]. »

[48] S. KARPPE, *Études sur les origines et la nature du Zohar*, p. 159 et 163.

Tout cela, on le voit, ne révèle rien de bien important ; et je ne me serais pas arrêté à ces charades solennelles, si le *Sefer Yerizah* ne jouissait chez les occultistes d'une réputation qui semble assez usurpée quand on y regarde de près, et s'il ne servait de point de départ et d'appui au Zohar qui s'y réfère constamment.

Les occultistes ont essayé de nous donner des clefs du Sefer ; mais j'avoue humblement que ces clefs ne m'ont rien ouvert. Somme toute, il est assez vraisemblable, comme le dit Karppe, que ce livre abscons est tout simplement le travail d'un pédagogue préoccupé de quintessencier en un manuel très court, toutes les connaissances scientifiques élémentaires relatives à la lecture et à la grammaire, à la cosmologie et à la physique, à la division du temps et de l'espace, à l'anatomie et à la doctrine juive ; et qu'au lieu d'être l'œuvre d'un mystique c'est plutôt une sorte d'aide-mémoire ou d'Enchiridion mnémotechnique.

II

Le *Zohar*, — qui signifie l'*Éclat*, — comme le *Sefer Yerizah*, est le fruit d'une longue fermentation mystique qui remonte à une époque où le Talmud n'était pas encore clôturé, c'est-à-dire antérieure au VIe siècle de notre ère, et surtout à la période appelée Gaonique. Après une assez longue éclipse, ce mysticisme recommence environ 820 ans après J.-C., et se continue dans les écrits des grands théologiens juifs, Ibn Gabirol, Juda Hallévi, Abn-Ezra, et principalement dans ceux de Maïmonide. Ensuite, préparant directement la Kabbale, viennent l'École d'Isaac l'Aveugle qui est avant tout métaphysique, « abstraction des abstractions néo-platoniciennes », comme on l'a définie, où brille notamment Nachmanide, puis l'École d'Éléazar de Worms qui s'applique spécialement au mystère des lettres et des nombres, et l'École d'Abulafia qui développe la contemplation pure.

Nous arrivons ainsi au Zohar proprement dit. Comme la Bible, comme les Védas, l'Avesta et le Livre des Morts égyptien, ce n'est pas un travail homogène, mais le produit d'une lente incubation, œuvre de collaborateurs anonymes et nombreux, incohérente, décousue, souvent contradictoire, où l'on trouve de tout, le meilleur comme le pire, les spéculations les plus hautes et les divagations les plus extravagantes et les plus puériles, le recueil, le réservoir ou plutôt le bazar où s'accumule pêle-mêle tout ce qui n'a pu trouver place dans la religion officielle, parce que trop hardi, trop élevé, trop bizarre ou trop étranger à l'esprit juif.

Il n'est pas facile de fixer la date d'une œuvre de ce genre. Franck, pour faire valoir son antiquité, invoque sa forme chaldéenne ; mais beaucoup de rabbins du Moyen âge écrivaient l'araméen chaldaïque. Ensuite on a soutenu qu'il était l'œuvre du Tanaïte Simon ben Jochaï (vers 150 après J.-C.), mais rien n'est venu confirmer cette attribution. On ne trouve aucune trace certaine de son existence avant la fin du XIIIe siècle. Le plus probable, et l'érudit S. Karppe arrive à cette conclusion après avoir longuement et minutieusement discuté toutes les hypothèses, est que Moïse de Léon, qui vécut au commencement du XIVe siècle, fut à coup sûr mêlé à la composition du Zohar ; et s'il n'en fut pas l'auteur principal, ramassa dans un même tout un certain nombre de fragments mystiques, commentaires de l'Écriture, issus, comme tant d'autres œuvres de la littérature juive, de la collaboration d'écrivains multiples. En tous cas, il est certain que le Zohar tel que nous le connaissons est relativement moderne.

III

Au Jéhovah de la Bible, dieu unique, personnel, anthropomorphe et créateur direct de l'univers, le Zohar substitue ou plutôt superpose ou présuppose le *En-sof*, c'est-à-dire l'infini, le *Ayin*, c'est-à-dire le néant, l'Ancien des anciens, le Mystérieux des mystérieux, le Long Visage. L'En-Sof, c'est

Dieu en soi, aussi inconnaissable, aussi inconcevable que la Cause sans cause ou l'Esprit suprême des Védas, dont il n'est qu'une réplique modifiée par le génie juif. Il est même plus près du néant que l'esprit suprême des Hindous, sa première manifestation, la première Séfirah, la « Couronne » est encore le néant ; il est l'Ayin de l'Ayin, le néant du néant. On ne l'appelle même pas « Cela » comme dans l'Inde. « Lorsque tout était encore enveloppé en lui, dit le Zohar, Dieu était le mystérieux parmi les mystérieux. Alors, il était sans nom. Le seul terme qui lui convînt eût été l'interrogatif : Qui[49] » ?

[49] *Zohar*, II, 105.

On ne peut en donner que des descriptions négatives et contradictoires. « Il est séparé puisqu'il est supérieur à tout, et il n'est pas séparé. Il a une forme et il n'a pas de forme. Il a une forme en tant qu'il établit l'univers et il n'a pas de forme en tant qu'il n'y est pas enfermé[50]. »

[50] *Zohar*, III, 288-*a*.

Avant le développement de l'univers, il n'était pas ou n'était qu'un point d'interrogation dans le néant. Nous retrouvons donc ici, au départ, l'aveu d'une ignorance absolue, invincible, irréductible. L'En-Sof n'est qu'un agrandissement illimité de l'Inconnaissable ; le Dieu de la Bible est absorbé et disparaît dans une immense abstraction ; de là la nécessité du secret.

Mais cette négation inconcevable, impénétrable, immobile, éternelle, il fallait, comme la Cause suprême des religions de l'Inde, la faire sortir de son néant et de son immobilité, la faire passer de l'infini au fini, de l'invisible au visible, et c'est ici que commencent les difficultés. Dieu étant l'infini, c'est-à-dire remplissant tout, comment, à côté de l'En-Sof, l'infini, y a-t-il place pour le Sof, le fini ? Le Zohar est visiblement embarrassé et ses explications l'égarent loin de l'humble et grandiose simplicité de la théosophie hindoue. Il répugne à avouer son ignorance, il veut rendre compte de tout et, tâtonnant dans l'Inconnaissable, s'embrouille en des interprétations souvent inconciliables et, quand le sol manque sous ses pas, a recours à des allégories et à des métaphores pour masquer l'impuissance de la pensée ou donner une issue apparente à l'impasse où il s'est engagé. Il se demande un moment s'il admettra la création *ex nihilo*, en étendant à ce premier acte le caractère incompréhensible de la divinité ; puis il paraît se raviser et se rallie à la doctrine de l'émanation qu'il a trouvée dans l'Inde, dans le Zoroastrisme et chez les néo-platoniciens. Il la modifie pour l'adapter au génie juif et la complique à l'extrême, sans parvenir à l'éclaircir.

Cette théorie de l'émanation, dans le Zohar, est en effet étrangement obscure, incertaine, hétéroclite et tombe à chaque instant dans l'anthropomorphisme.

Pour faire place à l'univers, Dieu qui remplissait tout se concentre, et dans l'espace laissé libre irradie sa pensée et extériorise une partie de lui-même. Cette première émanation ou irradiation c'est la première Séfirah, « La Couronne ». Elle représente l'infini ayant fait un pas vers le fini, le Néant ayant fait un pas vers l'Être, la substance première. De cette première Séfirah, presque encore le néant, mais un néant plus accessible à notre esprit, émanent en évoluant deux nouvelles Séfiroth, la Sagesse, principe mâle, et l'Intelligence, principe femelle ; c'est-à-dire qu'à partir de la « Couronne », apparaissent les contraires, la première différenciation des choses. De l'union de la Sagesse et de l'Intelligence naît la Science ; nous avons ainsi l'Idée pure, la Pensée extériorisée et la Voix ou la Parole qui relie la première à la deuxième. A cette première trinité de Séfiroth en succède une autre : la Grâce ou Grandeur, la Justice ou Sévérité ou Force et leur médiatrice la Beauté. Enfin les Séfiroth confondues dans la Beauté évoluent encore et produisent un troisième groupe, Victoire, Gloire, Fondement, et enfin la Séfirah Empire ou Royauté qui réalise toutes les Séfiroth dans l'univers visible.

L'ensemble des Séfiroth forme d'autre part le mystérieux Adam Kadmon, l'homme supérieur, l'homme primordial, dont les occultistes nous parleront abondamment et qui lui-même représente l'univers.

Cette explication de l'inexplicable, comme toutes les explications de ce genre, n'explique en somme rien du tout et cache l'incompréhensible sous un flot d'ingénieuses métaphores. Obéissant, comme l'avaient fait les religions antérieures, à la nécessité de jeter un pont entre l'infini et le fini, entre l'inconcevable et la pensée, au lieu de se contenter comme l'Inde, du réveil ou du dédoublement de la Cause suprême, ou du Logos égyptien, Perse et néo-platonicien, elle multiplie les passerelles en multipliant les intermédiaires ; mais pour être nombreuses, ces passerelles n'en aboutissent pas moins au même aveu d'ignorance. En tout cas cette explication, en dissimulant ce nouvel aveu sous un monceau d'images, a l'avantage de reléguer dans une sorte d'« *In pace* » inaccessible, le premier aveu, le plus embarrassant, l'aveu principal qui place hors de notre portée la cause première et l'existence de Dieu. A partir de la création des Séfiroth et de l'univers, l'En-Sof est généralement oublié ; comme le « Cela » de l'Inde, comme le « Noun » de l'Égypte, on le passe volontiers sous silence, on s'interroge rarement à son sujet. Même pour une doctrine secrète et mystérieuse comme la Kabbale, il est trop secret, trop mystérieux, trop incompréhensible, et toute l'attention se porte uniquement sur des émanations que l'imagination lui prête et que l'on croit connaître parce qu'on leur a donné des noms, des vertus, des fonctions, des attributs, en un mot parce qu'on les a créées soi-même.

IV

Quand l'En-Sof a-t-il commencé ses émanations ? A cette question que l'Inde résolvait par la théorie des sommeils et des réveils de Brahma, sans commencement ni fin, la Kabbale ne répond pas très clairement. « Avant, dit-elle, que Dieu eût créé ce monde, il avait créé beaucoup de mondes et il les avait fait disparaître jusqu'à ce qu'il lui vînt à la pensée de créer celui-ci[51]. » Que sont devenus ces mondes disparus ? « C'est le privilège, répond-elle, de la force du roi suprême que ces mondes qui ne purent prendre forme ne périssent pas, que rien ne périt, même le souffle de sa bouche ; tout a sa place et sa destination et Dieu sait ce qu'il en fait. Même la parole de l'homme et le son de sa voix ne tombent pas dans le néant, toute chose a sa place et sa demeure[52]. »

[51] III, 61-*b*.

[52] II, 100-*b*.

Et notre monde que devient-il ? Où va-t-il ? Quelle est sa destinée ? Le Zohar étant une œuvre hétéroclite, une compilation très tardive, sa doctrine, à cet égard, est beaucoup moins nette que celle du brahmanisme ; mais dégagée des éléments illogiques et étrangers qui souvent traversent et détournent son cours, elle arrive également au panthéisme, et par le panthéisme à l'optimisme inévitable. L'En-Sof, l'infini, est tout, par conséquent tout est lui. Pour se manifester, le pur abstrait se développe par des intermédiaires et, se dégradant volontairement par bonté, aboutit à la pensée et à la matière qui n'est que la dernière dégradation de la pensée ; et quand viendra l'ère messianique, « toute chose rentrera dans sa racine, comme elle en était sortie[53]. »

[53] III, 296.

L'homme qui dans le Zohar est le centre du monde et le microcosme, peut déjà, dès sa mort, jouir de ce retour dans le parfait, et son âme purifiée recevoir le baiser de paix qui « l'unit à nouveau et à jamais à sa racine, à son principe[54] ».

[54] I, 68-*a*.

Et le mal ? Le mal dans le Zohar, comme dans le Brahmanisme, est la matière. « L'homme par sa victoire sur le mal triomphe de la matière ou plutôt subordonne en lui la matière à une vocation plus haute ; il ennoblit la matière et la fait remonter du point extrême où elle était reléguée vers le lieu de ses origines. En lui, qui est le grand conscient, la matière prend conscience de la distance qui la sépare du bien suprême, et elle tend vers ce bien. Par l'homme les ténèbres aspirent vers la lumière, le multiple vers l'un, la nature entière vers Dieu.

« Par l'homme Dieu se refait lui-même après avoir traversé toute la magnifique diversité des êtres. Puisque l'homme est une expression résumée de tout, quand il a vaincu le mal en lui, il l'a vaincu dans le tout, il entraîne dans son ascension tous les éléments inférieurs, et par sa montée s'opère la montée du cosmos tout entier[55]. »

[55] S. KARPPE, *op. cit.*, p. 478.

Mais pourquoi le mal était-il nécessaire ? « Pourquoi, se demande le Zohar, si l'âme est d'essence céleste descend-elle sur la terre ? » La réponse à cette grande question qu'aucune religion n'a donnée, le Zohar, selon son habitude quand il se trouve embarrassé, l'esquive par une allégorie : « Un roi envoya son fils à la campagne afin qu'il y devînt robuste et acquît les connaissances nécessaires. Après quelque temps on lui annonça que son fils avait grandi, qu'il s'était fortifié et que son éducation était achevée. Alors il envoya, par amour pour lui, la reine elle-même le prendre et le ramener au palais. Ainsi la nature enfante au roi de l'univers un fils, l'âme céleste et il l'envoie aux champs, c'est-à-dire dans l'univers terrestre afin qu'il se fortifie et s'ennoblisse[56]. »

[56] I, 245.

Les disciples de R. Simon ben Zemach Durân, l'un des grands docteurs du Zohar, lui demandent : « Ne vaudrait-il pas mieux que l'homme ne fût pas né, plutôt que de naître avec la faculté de pécher et d'irriter Dieu ? » Et le maître répond : « Certes non, car l'univers, sous la forme qu'il a, est ce qu'il y a de meilleur. Or, la loi est indispensable au maintien de cet univers, autrement l'univers serait un désert ; et l'homme à son tour est indispensable à la loi… » Les disciples comprirent et dirent : « Certes Dieu n'a pas créé le monde sans cause ; la loi est en effet le vêtement de Dieu, ce par quoi il est accessible. Sans la vertu humaine Dieu n'aurait qu'un vêtement misérable. Celui qui fait le mal souille en son âme le vêtement de Dieu, et celui qui-accomplit le bien se revêt de la magnificence divine[57]. » Nous aurions mauvaise grâce de nous montrer plus exigeants que ces disciples accommodants et respectueux.

[57] I, 23-*a-b*.

Une autre question capitale, l'éternité des peines, est également esquivée. Logiquement, une religion panthéiste ne saurait admettre que Dieu châtie et torture éternellement une partie de lui-même. Le Zohar dit bien quelque part : « Combien y a-t-il d'âmes et d'esprits qui sont roulés éternellement et ne revoient plus jamais les parvis célestes ! »

Mais d'un autre côté, il enseigne expressément la doctrine de la transmigration, c'est-à-dire de la purification graduelle des âmes par les existences successives ; et il appuie cette doctrine évidemment empruntée aux grandes religions antérieures, sur des textes de la Bible, entre autres sur l'Ecclésiaste (IV, 2), où il est dit : « Et je loue les morts qui sont déjà morts plus que les vivants qui vivent encore. » Que signifie, se demande le Zohar, les morts qui sont déjà morts ? Ce sont ceux qui sont déjà morts une fois auparavant, c'est-à-dire qui n'en sont plus à leur première pérégrination. Or, il est évident que la doctrine de la transmigration purificatrice exclut nécessairement les peines éternelles.

V

Le Zohar est donc, je l'ai déjà dit, une vaste compilation anonyme qui, sous prétexte de révéler à des initiés le sens secret de la Bible et spécialement du Pentateuque, habille de vêtements juifs les grands aveux d'ignorance des grandes religions antérieures, en surchargeant ces vêtements de tous les ornements nouveaux et compliqués que lui fournissent les Esséniens, les néo-platoniciens, les gnostiques et même les premiers siècles du christianisme. Il est, qu'il l'avoue ou non, sur les points capitaux, nettement agnostique, comme le Brahmanisme. Il est panthéiste comme lui. Pour lui aussi la création est plutôt une émanation et le mal est également la matière et la séparation ou la multiplicité, et le bien le retour à l'esprit et à l'unité. Il admet enfin la transmigration des âmes et leur purification et par conséquent le Karma, de même que l'absorption finale en la divinité, c'est-à-dire le Nirvana.

Il est curieux de le constater, nous avons ici, pour la première fois, — car les autres ne sont pas arrivées jusqu'à nous, — une doctrine ésotérique et se proclamant telle, et cette doctrine n'a pas autre chose à nous apprendre que ce que nous apprenaient sans réticences et sans mystères, du moins à leur début, les religions primitives. Comme celles-ci, avec ses grands aveux et ses expédients, différents de forme, mais au fond identiques, pour passer du néant à l'être, de l'infini au fini, de l'inconnaissable au connu, elle appartient à la même tradition rationaliste qui tente d'expliquer l'inexplicable par de plausibles hypothèses et des inductions auxquelles nous pourrions donner d'autres tournures et d'autres noms, mais qu'en somme nous serions incapables, même aujourd'hui, d'améliorer sensiblement. Tout au plus serions-nous tentés de renoncer à toute explication et d'étendre l'aveu d'ignorance à l'ensemble des origines, des manifestations et des fins de la vie, ce qui serait peut-être le plus sage.

Elle nous montre ainsi que toute doctrine secrète ne fut probablement jamais et sans doute ne saurait être autre chose ; et que les révélations les plus hautes qu'on nous ait apportées furent toujours tirées de l'homme par l'homme même.

On imagine facilement l'importance que prit durant le Moyen âge cette doctrine occulte. Connue seulement de quelques initiés, enveloppée de formules et d'images incompréhensibles, chuchotée de bouche à oreille au milieu de dangers terribles, elle avait un rayonnement souterrain, une sorte d'attrait sombre et irrésistible. Elle regardait le monde de beaucoup plus haut que la Bible qu'elle considérait comme un tissu d'allégories derrière lesquelles se cachait une vérité qu'elle connaissait seule ; elle apportait aux hommes, à travers les broussailles de ses végétations bizarres et parasites, les derniers échos des grands enseignements de la raison humaine à son aurore.

LES HERMÉTISTES

I

Tout l'occultisme ou l'hermétisme du Moyen âge sort donc de la Kabbale et des écrits alexandrins en y ajoutant peut-être certaines traditions de pratiques magiques très répandues dans l'ancienne Égypte et la Chaldée.

La partie théosophique et philosophique de cet occultisme n'a donc rien à nous apprendre. Elle n'est qu'un reflet déformé, une redite extrêmement corrompue et souvent méconnaissable de ce que nous avons déjà vu et entendu. L'appareil mystérieux dont elle s'entoure, et qui d'abord intrigue et fait illusion, n'est qu'une précaution indispensable pour cacher aux yeux de l'Église les affirmations défendues, hérétiques et dangereuses qu'elle renfermait. L'iconographie occultiste, les signes, les étoiles, les triangles, les pentagrammes, les pentacles étaient au fond des aide-mémoire, des mots de passe, ou des sortes de rébus qui permettaient aux affidés de se reconnaître et de se communiquer des vérités que menaçaient sans cesse le bûcher et, après les explications qu'on nous a données, ne recèlent et ne pouvaient rien recéler qui ne nous semble aujourd'hui parfaitement admissible et inoffensif.

L'alchimie même, qui demeure la région la plus intéressante de l'occultisme médiéval, n'est en somme qu'un trompe-l'œil, une sorte d'écran derrière lequel les véritables initiés cherchaient le secret de la vie. « Le Grand œuvre, dit Éliphas Lévi, n'était pas à proprement parler le secret de la transmutation des métaux, résultat accessoire, mais l'arcane universel de la vie, la recherche du point central de transformation où la lumière se fait matière et se condense en une terre qui contient en elle le principe du mouvement et de la vie… C'est la fixation de la lumière astrale par une magie souveraine de la volonté. » Ce qui nous mène aux phénomènes odiques, dont nous parlerons plus loin, qui nous mettent sur la voie de cette fixation.

Bien plus, aux yeux des grands initiés, la recherche de l'or n'était qu'un symbole qui voilait la recherche du divin et des facultés divines dans l'homme ; et seuls les alchimistes inférieurs qui prenaient au pied de la lettre les indications cabalistiques des grimoires, s'épuisaient à résoudre des problèmes et se ruinaient à poursuivre des expériences qui du reste firent faire à la chimie des progrès et des découvertes que, sur certains points, elle n'a pas encore dépassés.

II

D'autre part, on s'imagine trop volontiers que l'occultisme du Moyen âge est avant tout diabolique. La vérité est que les initiés ne croyaient pas au démon et ne pouvaient y croire, puisqu'ils n'admettaient pas la révélation chrétienne telle que l'Église la leur présentait. « Pas de démons en dehors de l'humanité » est un des axiomes fondamentaux du haut occultisme. « C'est, disait Van Helmont, le fruit d'une paresse sans bornes que d'attribuer au diable ce que nous ne connaissons pas. » « Il ne faut pas en laisser l'honneur au diable », protestait de son côté Paracelse.

Les démons et les diables, les anges déchus ou les damnés entourés de flammes éternelles ne grouillent que dans les bas-fonds de la magie noire ou de la sorcellerie. La fantasmagorie des sabbats nous masque trop souvent le véritable occultisme qui était avant tout, au sein d'un péril de mort incessant et parmi des ténèbres hostiles, la recherche tâtonnante et passionnée d'une vérité, ou du moins d'une apparence de vérité, car il n'y a pas autre chose en ce monde, qui avait rayonné, qui rayonnait peut-être encore quelque part, mais qui semblait perdue et dont on ne retrouvait que des débris précieux mais informes, mêlés à l'épaisse poussière de mensonges irritants et décevants ; et le meilleur des forces s'épuisait à un triage ingrat.

III

Écartant les esprits infernaux, ils croyaient cependant à l'existence et à l'intervention d'autres êtres invisibles. Ils étaient convaincus que le monde qui échappe à nos sens est beaucoup plus peuplé que celui que nous percevons, et que nous vivons au milieu d'une foule de présences diaphanes mais attentives et actives qui, le plus souvent, agissent sur nous à notre insu, mais sur lesquels, par une éducation spéciale de notre volonté, nous pouvons agir à notre tour. Ces invisibles ne sortaient pas de l'enfer, puisque pour les initiés du Moyen âge, presque aussi sûrement que pour les fidèles des grandes religions, aux temps où l'initiation n'était pas encore nécessaire, l'enfer n'était pas un lieu de torture et de malédiction, mais un état d'âme après la mort. C'étaient ou des esprits errant hors de la chair, valant à peu près ce qu'ils avaient valu durant leur vie terrestre, ou les esprits d'êtres qui n'avaient pas encore été incarnés, appelés élémentaux, esprits neutres, indifférents, moralement amorphes et abouliques et faisant le bien ou le mal selon la volonté de celui qui avait appris à les dominer.

Il est incontestable que certaines expériences de nos spirites, notamment celles de la « Correspondance croisée », certaines apparitions posthumes presque scientifiquement constatées, certains phénomènes de matérialisation, d'idéoplastie et de lévitation remettent sérieusement en question la plausibilité de ces théories.

Quant aux scènes d'évocation qui flottent souvent entre la haute magie et la goétie ou magie noire, et qui, aux yeux du vulgaire, occupent, avec l'alchimie et l'astrologie, les trois points culminants de l'occultisme, leur appareil solennel, leurs formules cabalistiques et leur rituel impressionnant mis à part, elles correspondent exactement aux évocations plus familières qui se font chaque jour autour de nos tables tournantes, de l'humble « Ouid-Ja » ou des miroirs magiques. Elles correspondent aussi aux manifestations que produisait par exemple la célèbre Eusapia Paladino et que réalise en ce moment, sous les contrôles les plus sévères, le médium de Mme Bisson, avec cette différence qu'au lieu du fantôme humain qu'attendent aujourd'hui les assistants, les croyants du Moyen âge voulaient voir le diable en personne, et le diable qui hantait leur pensée leur apparaissait tel qu'ils se l'imaginaient.

Y a-t-il en ces manifestations auto-suggestion, suggestion collective, exsudation, transfert et cristallisation de matière spiritualisée empruntée aux spectateurs, ou s'y mêle-t-il un élément extra-terrestre et inconnu ? S'il est impossible de le démêler quand il s'agit de faits qui se passent sous nos yeux, à plus forte raison serait-il téméraire de trancher la question quand elle s'adresse à des phénomènes vieux de plusieurs siècles, qui ne nous sont connus que par des relations plus ou moins tendancielles.

IV

Enfin l'alchimie et l'astrologie, les deux autres sommets auxquels je viens de faire allusion, sont, dans l'occultisme du Moyen âge, des sciences de seconde main qui ne nous apportent, au point de vue du grand secret, aucun élément nouveau et dont les origines grecques, juives et arabes ne se rattachent à l'Égypte et à la Chaldée que par des écrits apocryphes et relativement récents. Cette étude, en ce qui concerne l'alchimie, a été magistralement faite par Pierre Berthelot dans son livre sur « *les Origines de l'Alchimie* ». Il a épuisé le sujet, tout au moins en sa partie chimique ; mais on pourrait peut-être compléter son œuvre au point de vue hyperchimique, ou métachimique ou psychochimique qui ne semble pas moins important. Il serait également souhaitable qu'un grand astronome philosophe nous donnât sur l'astrologie le pendant de cet admirable travail ; mais jusqu'ici les sources sont si pauvres qu'il ne paraît guère possible de l'entreprendre. Il en faudrait faire autant pour la médecine hermétique qui du reste est liée à l'alchimie et à l'astrologie.

Mais l'alchimie et l'astrologie qui ne sont en somme que de la chimie et de l'astronomie transcendentales, prétendant dépasser la matière et les astres pour atteindre les principes spirituels et éternels qui constituent l'une et dirigent les autres, ne nous réserveraient peut-être des surprises et des révélations que si l'on pouvait remonter directement à leurs sources hindoues, égyptiennes et chaldéennes, ce qu'on n'a pu faire jusqu'ici, car nous n'avons, qui s'en rapproche, que le fameux Papyrus de Leyde, et cet unique document n'est que le carnet d'un orfèvre égyptien renfermant des formules pour composer des alliages, dorer les métaux, teindre les étoffes en pourpre et imiter et falsifier l'or et l'argent.

V

Parmi les occultistes médiévaux, presque tous alchimistes, bornons-nous à rappeler les noms de Raymond Lulle (XIIIe siècle), *Doctor Illuminatus*, auteur de l'*Ars Magna*, à peu près illisible aujourd'hui, Nicolas Flamel (XVe siècle), qui selon Berthelot n'est qu'un pur charlatan, Reuchlin, Weigel, le maître de Boëhme, Bernard le Trévisan, Basile Valentin qui étudia surtout l'antimoine, les deux Isaac, père et fils, Jean Trithème, qu'Éliphas Lévi appelle « le plus grand magicien dogmatique du Moyen âge », bien que sa célèbre cryptographie, *Polygraphia* ou *Steganographia*, soient des jeux de lettres assez puérils, et son élève, Cornélius Agrippa auteur de *De Occulta Philosophia*, qui réédite simplement des théories de l'école d'Alexandrie, et n'est, au dire d'Éliphas Lévi, « qu'un audacieux profanateur, heureusement très superficiel dans ses écrits ». Nous avons encore, au XVIe siècle, Guillaume Postel qui sut le grec, l'hébreu et l'arabe, voyagea beaucoup et rapporta en Europe d'importants manuscrits orientaux, entre autres les œuvres d'Aboul-Féda, l'historien arabe du XIIIe siècle. « Le cher et bon Guillaume Postel, écrit Éliphas Lévi dans une lettre au baron Spédaliéri, notre père en la Sainte Science, puisque nous lui devons la connaissance du Sefer Jesirah et du Zohar, eût été le plus grand initié de son siècle si le mysticisme ascétique et le célibat forcé n'avaient fait monter à son cerveau les fumées enivrantes de l'enthousiasme qui ont fait parfois délirer sa haute raison », remarque, soit dit en passant, qui, pourrait s'appliquer à des hermétistes d'autres temps et d'autres pays.

Après Henri Khunrath, Oswald Crollius, etc., nous passons au XVIIe siècle, à ses débuts, la grande époque de l'alchimie qui se rapprocha davantage de la science proprement dite. Van Helmont découvre le suc gastrique, Glauber le sulfate de soude, les huiles lourdes du goudron et entrevoit le chlore, tandis que Kunckel trouve le phosphore.

Si je faisais ici une histoire générale de l'occultisme, au lieu de rechercher simplement ce qu'ont à nous apprendre d'inédit les derniers adeptes, conscients ou inconscients d'une sagesse occulte dont nous avons suivi les traces à travers les âges, j'aurais dû m'arrêter un instant à ces mystérieux Templiers qui adoptèrent en partie les traditions juives et les récits du Talmud ; et auxquels succédèrent les Rose-Croix. Je devrais aussi mettre à part et étudier un peu plus longuement deux figures bizarres et énigmatiques qui dominent et résument tout l'occultisme du Moyen âge, à savoir Paracelse et Jakob Boëhme. Mais à les étudier de près on constate qu'eux non plus, quelles que soient leurs prétentions, ne tirèrent pas d'une source inconnue les révélations qu'ils apportèrent et qui bouleversèrent leurs contemporains.

Philippus-Auréolus-Théophrastus-Bombast von Hohenheim, dit Paracelsus (traduction approximative de Hohenheim), né en Suisse en 1493 et mort à Salzbourg en 1541, porte le poids d'une injuste légende qui le représente comme un ivrogne, un débauché, un charlatan et un fou. Il eut sans doute bien des défauts et ne paraît pas toujours parfaitement équilibré, mais n'en demeure pas moins un des êtres les plus extraordinaires que mentionne l'histoire. Il était néo-platonicien et par conséquent n'ignorait pas les écrits alexandrins accessibles aux hermétistes de son temps ; mais il est probable qu'en outre, au cours de ses voyages en Turquie et en Égypte, il eut plus directement connaissance de certaines traditions asiatiques au sujet du corps éthérique ou astral, théories sur lesquelles il fonda toute sa médecine. Il enseigne en effet, comme l'enseignaient d'anciens traités hindous qu'ont depuis remis en lumière les théosophes, que nos maladies viennent non pas de notre corps physique mais de notre corps éthérique qui correspond à peu près à ce que nous appelons aujourd'hui le subconscient, et qu'en conséquence il faut agir avant tout sur ce subconscient. Il est certain que bien des faits, dans bien des cas, tendent à confirmer cette hypothèse, et c'est peut-être de ce côté que s'orientera la thérapeutique de demain. Selon lui, les plantes mêmes ont un corps éthérique, et les médicaments n'agissent pas en vertu de leurs propriétés chimiques mais en vertu de leurs propriétés astrales, ce qui est encore un point que la découverte assez récente de l'« Od », que nous retrouverons plus loin, semble corroborer.

Ses idées touchant l'existence d'un fluide vital universel, l'Akahsa des Hindous, qu'il appelait l'Alkahest, et de la Lumière astrale des Kabbalistes, sont aussi de celles que nos théories modernes sur le rôle prépondérant de l'éther rappellent à notre attention. Il est évident, d'autre part, qu'il a souvent dépassé la mesure ; en systématisant à outrance et puérilement des concordances purement apparentes ou verbales entre certaines parties du corps humain et celles des plantes médicinales ; de même que ses affirmations au sujet des *Archées*, sortes de génies particuliers préposés au fonctions des divers organes et ses fantaisies charlatanesques de l'*Homunculus*, ne sont plus défendables. Mais ces erreurs étaient inhérentes à la science de son temps et ne sont peut-être pas beaucoup plus ridicules que les nôtres. Tout compte fait, il reste de lui le souvenir d'un précurseur bien étonnant et d'un visionnaire prodigieux.

Quant à Jakob Boëhme, le fameux cordonnier de Goerlitz, son cas serait miraculeux et absolument inexplicable s'il avait réellement été l'illettré qu'on a dit. Mais cette légende doit être décidément écartée. Boëhme avait étudié les théosophes allemands, notamment Paracelse, et connaissait parfaitement les néo-platoniciens dont il réédite en somme les doctrines, en les déformant un peu, en les enveloppant d'une phraséologie plus obscure mais parfois inattendue et très impressionnante, et en y mêlant des éléments de Kabbale, de mathématiques mystiques et d'alchimie. Je renvoie ceux qu'intéresserait cet esprit étrange et assurément génial, mais très inégal — car il y a dans son œuvre un fatras illisible — à l'étude que lui a consacrée Émile Boutroux sous ce titre : *Le Philosophe Allemand Jacob Bœmhe.* Ils ne sauraient trouver meilleur guide.

LES OCCULTISTES MODERNES

I

Avant les découvertes des indianistes et des égyptologues, les occultistes modernes que l'on peut, — mettant à part Swedenborg, un grand visionnaire isolé, — faire remonter à Martinez Pasqualis, né en 1715 et mort en 1779, ont forcément travaillé sur les mêmes textes et les mêmes traditions, s'attachant tour à tour, selon leurs goûts, à la Kabbale, ou aux théories alexandrines. Pasqualis n'a rien écrit, mais a laissé la légende d'un prestigieux magicien. Son disciple, Claude de Saint-Martin, « le Philosophe Inconnu », est une sorte de théosophe intuitif qui finit par redécouvrir Jakob Boëhme. Ses livres, bien pensés et remarquablement écrits, peuvent encore se lire avec plaisir et même avec fruit. Sans nous arrêter au comte de Saint-Germain, qui prétendait avoir gardé le souvenir de toutes ses existences antérieures, à Cagliostro, puissant illusionniste et redoutable charlatan, au marquis d'Argens, à dom Pernetty, à d'Espréménil, à Lavater, à Eckartshausen, à Delille de Salle, à l'abbé Terrasson, à Bergasse, à Clootz, à Court de Gebelin, ni à tous les mystiques qui vers la fin du XVIIIe siècle pullulèrent dans l'aristocratie et les loges maçonniques et faisaient partie des associations secrètes qui préparèrent la Révolution, mais n'ont rien de sérieux à nous apprendre, retenons le nom de Fabre d'Olivet, écrivain de premier ordre, qui nous donne de la Genèse de Moïse une interprétation nouvelle, hardie et grandiose sur la valeur de laquelle, n'étant pas hébraïsant, je n'ai pas qualité pour me prononcer, mais que la Kabbale récemment étudiée semble confirmer et qui se présente entourée d'un appareil scientifique et philologique impressionnant.

II

Et voici Éliphas Lévi avec ses livres aux titres inquiétants : *Histoire de la Magie*, *La Clef des Grands Mystères*, *Dogme et rituel de la Haute Magie*, *Le Grand Arcane ou l'Occultisme dévoilé*, etc., le dernier maître de l'occultisme proprement dit, de l'occultisme qui précède immédiatement celui de nos métapsychistes qui ont définitivement renoncé à la Kabbale, à la Gnose, aux Alexandrins et ne se réclament plus que de l'expérience scientifique.

Éliphas Lévi, de son vrai nom Alphonse-Louis-Constant, né en 1810 et mort en 1875, résume en quelque sorte tout l'occultisme du Moyen âge avec ses tâtonnements, ses demi-vérités, ses connaissances tronquées, ses intuitions, ses irritantes obscurités, ses agaçantes réticences, ses erreurs et ses préjugés. Écrivant avant d'avoir su ou voulu profiter des principales découvertes des indianistes et des égyptologues et des travaux de la critique contemporaine, dénué lui-même de tout esprit critique, il ne travaillait que sur les documents médiévaux dont nous avons parlé ; et le Séfer Yerizah, le Zohar (dont il ne connaissait du reste que les fragments fantaisistes de la *Kabbala Denudata*), le Talmud et l'Apocalypse mis à part, s'attachait de préférence aux plus indiscutablement apocryphes. A côté de ceux que je viens de citer, ses trois livres de chevet étaient le *Livre d'Hénoch*, les *Écrits d'Hermès Trismégiste* et le *Tarot.*

Le *Livre d'Hénoch*, attribué par la légende au patriarche Hénoch, fils de Jared et père de Mathusalem, doit se placer aux environs de l'ère chrétienne, attendu que le dernier événement connu par son auteur est la guerre d'Antiochus Sidetes contre Jean Hyrcan. C'est un livre apocalyptique, probablement écrit par un Essénien, comme le prouve son angéologie, et qui exerça une profonde influence sur le mysticisme juif d'avant le Zohar.

Les *Écrits d'Hermès Trismégiste*, que Louis Ménard a traduits et auxquels il a consacré une étude définitive[58], attribués à Thoth, l'Hermès égyptien, nous révèlent dans leur conception de Dieu de très curieuses analogies avec les livres sacrés de l'Inde, notamment le *Baghavat-Gita*, nous montrent une fois de plus l'universelle infiltration de la grande religion primitive. Mais chronologiquement, il n'y a pas le moindre doute : le *Poimandrès*, l'*Asclépios* et les fragments du *Livre Sacré*, sont nés à Alexandrie. La théologie hermétique est pleine de pensées et d'expressions néo-platoniciennes et d'autres empruntées à Philon ; et des passages entiers du *Poimandrès* peuvent être juxtaposés à l'*Apocalypse* de Saint-Jean et lui font écho, ce qui prouve que les deux ouvrages ont été écrits à des dates peu éloignées l'une de l'autre. Il n'est donc pas surprenant que, non plus que Jamblique, ils n'aient rien à nous apprendre sur la religion de l'antique Égypte, puisqu'à l'époque où les Grecs l'étudièrent, la symbolique de cette religion, comme le remarque Louis Ménard, était déjà une lettre morte pour ses prêtres eux-mêmes.

[58] LOUIS MENARD, *Hermès Trismégiste.*

Quant au *Tarot*, il serait, au dire des occultistes, le premier livre écrit de main humaine et antérieur à ceux de l'Inde, d'où il aurait passé en Égypte. Malheureusement, on n'en trouve pas trace dans l'archéologie de ces deux pays. Il est vrai qu'une chronique italienne nous apprend que le premier jeu de cartes, qui n'est que le Tarot vulgarisé, fut importé à Viterbe, en 1379, par les Sarrasins, ce qui révèle une origine orientale. En tout cas, sous sa forme actuelle, il ne remonte qu'à Jacquemin Gringonneur, enlumineur du temps de Charles VI.

Il est évident qu'ainsi documenté, Éliphas Lévi n'a rien de bien sérieux à nous révéler. Il est en outre embarrassé par l'ingrate et impossible tâche qu'il s'est imposée en voulant concilier l'occultisme avec le dogme catholique.

Mais son érudition, dans sa sphère, est remarquable, et il a parfois d'étonnantes intuitions qui semblent avoir entrevu, notamment en ce qui touche aux médiums, aux fluides odiques, aux manifestations de l'astral, plus d'une découverte de nos métapsychistes. En outre, lorsqu'il aborde un sujet qui n'est pas purement chimérique, et qui tient à des réalités profondes, en morale par exemple, et même en politique, et quand, comme le font fréquemment les occultistes, il ne s'enveloppe pas d'énervants sous-entendus qui paraissent craindre d'en dire trop et ne trahissent au fond que la peur de n'avoir rien à dire, il lui arrive d'écrire d'excellentes pages qui, après la vogue exagérée dont elles jouirent, ne méritent pas l'injuste oubli auxquelles on semble les condamner.

III

Dans l'école d'Éliphas Lévi, et suivant à peu près les mêmes errements, on peut ranger deux hommes de valeur : Stanislas de Guaita et le docteur Encausse, plus connu sous le nom de Papus. Leur cas est assez spécial. Ce sont deux grands érudits qui connaissent à fond la littérature kabbalistique, gréco-égyptienne et tout l'hermétisme du Moyen âge. Ils sont également au courant des travaux des orientalistes, des égyptologues, des théosophes et des recherches de nos occultistes purement scientifiques. Ils savent aussi que les textes qu'ils invoquent sont des apocryphes extrêmement suspects ; et quoiqu'ils le sachent et parfois le proclament, ils partent de ces textes, s'y attachent, s'y confinent et fondent sur eux leurs théories, comme s'il s'agissait de documents authentiques et indiscutables. Ainsi de Guaita édifie la partie la plus importante de son œuvre sur la « Table d'émeraude », un apocryphe de l'apocryphe Trismégiste, après avoir déclaré : « Nous ne chicanerons point sur l'authenticité, l'attribution et la date de l'un des documents les plus magistralement initiatiques que nous ait transmis l'antiquité gréco-égyptienne.

« Les uns s'obstinent à n'y voir que l'œuvre amphigourique d'un rêveur alexandrin, d'autres taxent même ce document d'apocryphe du Ve siècle. Quelques-uns le veulent de quatre mille ans plus ancien.

« Que nous importe… Il est certain que cette page résume les traditions de l'antique Égypte[59]. »

[59] STANISLAS DE GUAITA, *La Clef de la Magie noire*, p. 119.

Ce n'est pas certain du tout, attendu que les monuments authentiques de l'Égypte des Pharaons ne nous fournissent absolument rien qui confirme ce résumé abscons, et le « Que nous importe », n'est-il pas bien cavalier quand il s'agit d'un texte dont on fait la clef de voûte de sa doctrine ?

De son côté, Papus consacre un volume entier au commentaire du Tarot, dans lequel il voit le plus ancien monument de la sagesse ésotérique, alors qu'il sait mieux que personne qu'on n'en retrouve pas de traces authentiques avant le XIVe siècle.

En signalant cette faille bizarre à la base de leur œuvre, — et naturellement elle a de nombreuses ramifications, — je n'entends nullement suspecter l'honnêteté, l'évidente bonne foi de cette œuvre extrêmement intéressante, pleine d'aperçus originaux, d'intuitions, d'hypothèses, d'interprétations, de rapprochements ingénieux, de recherches et de trouvailles curieuses. Ils savent tous deux beaucoup de choses oubliées ou négligées, qu'il est bon de rappeler parfois ; et si Papus, trop pressé, bâcle souvent ses volumes, de Guaita soigne toujours, presque à l'excès, sa phrase hautaine, attentive, miroitante et un peu compassée.

IV

La situation des néo-théosophes, offre quelque analogie avec celle des trois occultistes dont je viens de parler. On sait que la « Société Théosophique » fut fondée en 1875, par Mme Blavatzky. Je n'ai pas à juger ici, au point de vue moral, cette femme énigmatique. Il est certain que le rapport du Dr Hodgson, spécialement envoyé aux Indes, en 1884, par la « Society for Psychical Research », afin de faire une enquête sur son cas, jette sur elle une ombre assez fâcheuse. Néanmoins, après avoir revu les pièces du procès, je conviens qu'il est après tout fort possible que le très honnête Hodgson ait été lui même victime de supercheries plus diaboliques que celles qu'il croyait démasquer. Je sais encore qu'on impute à Mme Blavatzky et à d'autres théosophes, de nombreux plagiats ; on prétend notamment que *Le Bouddhisme ésotérique* de A.-P. Sinnet et *La Doctrine secrète* seraient d'un nommé Palma, dont les manuscrits auraient été achetés par les fondateurs de la Société Théosophique, ou des démarquages à peine déguisés d'ouvrages parus vingt ans auparavant, sous la signature d'occultistes occidentaux, notamment de Louis Lucas.

Je ne m'attarderai pas à ces questions qui me semblent beaucoup moins importantes que celle des documents préhistoriques et secrets et des commentaires ésotériques sur lesquels repose toute la révélation théosophique. Quels qu'en soient l'auteur ou les auteurs, je prends l'œuvre telle qu'elle se présente. *L'Isis dévoilée*, *La Doctrine secrète* et les autres écrits, très nombreux, de Mme Blavatzky, forment un monument énorme et mal équilibré, ou plutôt une sorte de chantier colossal, où la suprême sagesse, la plus exceptionnelle et la plus vaste érudition, et les débris les plus douteux de la science, de la légende et de l'histoire, les hypothèses les plus impressionnantes et le plus dénuées de fondement, les faits les plus exacts et les plus invraisemblables, les idées les plus justes et les plus chimériques, les rêves les plus hauts et les rêveries les plus incohérentes, sont déversés pêle-mêle par tombereaux inépuisables. Il y a donc dans cette accumulation de matériaux un déchet considérable, des affirmations fantastiques que l'on rejette *à priori* ; mais il faut reconnaître, si l'on veut être impartial, qu'on y trouve aussi des spéculations qui comptent parmi les plus grandioses qu'on ait faites. Le fond en est évidemment védique ou plutôt brahmanique et védandique et se trouve dans des textes qui n'ont rien d'occulte. Mais à ces textes des indianistes officiels, les théosophes en superposent d'autres qu'ils prétendent beaucoup plus anciens et plus purs et qui leur sont fournis et expliqués par des adeptes hindous, héritiers directs de la Sagesse immémoriale et secrète. Il est certain que leurs écrits sans rien révéler de nouveau sur les points essentiels des grands aveux d'ignorance qui se trouvent à l'horizon des religions anciennes, y ajoutent une foule d'éclaircissements, de commentaires, de théories et de détails qui seraient extrêmement intéressants s'ils nous étaient offerts après avoir été soumis à une critique historique et philologique aussi rigoureuse que celle que firent subir à leurs documents les indianistes qui ne se prétendent pas initiés. Malheureusement il n'en va pas ainsi. Prenons par exemple le *Livre de Dzyan*, c'est-à-dire les Slocas ou stances mystérieuses qui se trouvent à la base de toute la doctrine secrète de Mme Blavatzky. Il nous est présenté comme « un manuscrit archaïque, assemblage de feuilles de palmiers rendu, par quelque procédé inconnu, inaltérable à l'eau, à l'air et au feu, et écrit dans une langue perdue, le *Sinzar*, antérieure au sanscrit et que comprennent seuls quelques rares adeptes hindous », et c'est tout. Pas un mot pour nous dire d'où provient ce manuscrit, comment il a été miraculeusement conservé, ce qu'est le *Sinzar*, à laquelle des cent langues, auquel des cinq ou six cents dialectes hindous il se rattache, comment il s'écrit, comment on peut encore le comprendre et le traduire, quelle est approximativement l'époque à laquelle il remonte, etc. On n'en a cure, et c'est toujours ainsi. Il faut croire sur parole et sans examen. Ces méthodes sont évidemment regrettables, car si les textes en question avaient été passés au crible d'une critique suffisante, ils compteraient parmi les plus curieux de la littérature asiatique. Telles qu'on nous les donne, la cosmogonie et l'anthropogénèse du *Livre de Dzyan* paraissent être des spéculations de brahmanes et pourraient faire partie des *Upanischads*. Elles sont ingénieusement commentées par des adeptes parfaitement au courant de nos sciences occidentales. Si elles sont authentiquement préhistoriques, leurs affirmations au sujet de l'évolution des mondes et de l'homme, partiellement confirmées par nos dernières découvertes ou théories scientifiques, sont réellement troublantes. Si elles ne le sont pas, ces affirmations deviennent de simples hypothèses, toujours grandioses, parfois plausibles, mais le plus souvent incroyablement et inutilement compliquées, et en tout cas, arbitraires et chimériques.

V

Ce qui n'empêche point *La Doctrine Secrète* d'être une sorte de vaste encyclopédie des sciences ésotériques, surtout dans ses annexes, ses commentaires, ses « parerga », où l'on trouve une foule de rapprochements ingénieux et curieux entre les enseignements et les manifestations de l'occultisme, à travers les pays et les siècles. Il en jaillit parfois une lumière inattendue dont les rayons s'étendent au loin, sur des régions de la pensée qui ne sont plus guère fréquentées. En tout cas, l'œuvre prouverait une fois de plus, si c'était nécessaire, et avec un éclat insolite, l'origine commune de l'idée que se fit un jour l'humanité, bien avant l'histoire que nous connaissons, des grands mystères qui l'enveloppèrent. On y trouve aussi de larges et excellents tableaux où la science occulte est confrontée à la science moderne et semble souvent, il faut en convenir, précéder ou dominer celle-ci. On y découvre encore bien d'autres choses, jetées en vrac, mais qui ne méritent pas le dédain avec lequel, depuis quelque temps, on affecte de les traiter.

Au surplus, je n'ai pas à faire ici l'histoire ou le procès de la théosophie. Il fallait simplement la signaler à la rencontre, puisqu'elle est l'avant-dernière forme de l'occultisme. Il suffira d'ajouter que les vices de sa méthode initiale s'accusent et s'aggravent chez les continuateurs de Mme Blavatzky. Chez Mme Annie Besant, — femme d'ailleurs remarquable, — et chez Leadbeater, tout est en l'air, tout s'édifie dans les nues, et les affirmations gratuites et invérifiables pleuvent de plus en plus dru sur chaque page. Ils semblent du reste lancer la théosophie dans des voies où les fidèles de la première heure hésitent à les suivre.

Ces vices s'aggravent surtout et éclatent dans toute leur candeur chez certains auteurs de second plan, moins habiles que leurs maîtres à les dissimuler ; par exemple chez Scott-Elliot, l'historien de *L'Atlantide* et de *La Lémurie perdue.* Scott-Elliot commence son histoire de l'Atlantide de la manière la plus raisonnable et la plus scientifique. Il invoque les textes historiques qui ne permettent guère de douter qu'une île immense, dont l'une des extrémités s'avançait non loin des colonnes d'Hercule, s'effondra dans l'Océan, et disparut à jamais, en engloutissant la merveilleuse civilisation qu'elle portait. Il corrobore ces textes de preuves très judicieuses tirées de l'orographie sous-marine, de la persistance de la mer des Sargasses, de la géologie, de la chorographie, etc. Puis, tout à coup, presque sans nous prévenir, ayant recours à des documents occultes, à des mappemondes de terre cuite, miraculeusement retrouvées, à des révélations qui viennent on ne sait d'où, à des clichés astraux qu'il prétend récupérer dans l'espace et le temps, et qu'il traite sur le même pied que les arguments historiques et géologiques, il nous décrit par le menu, comme s'il vivait au milieu d'eux, les villes, les temples, les palais des Atlantes et toute leur civilisation politique, morale, religieuse et scientifique, en annexant à son œuvre une série de cartes détaillées de continents fabuleux, hyperboréens, lémuriens, etc., disparus depuis 800.000, 200.000 et 60.000 ans, et délimités avec autant de minutie et d'assurance que s'il s'agissait de la géographie contemporaine de la Bretagne ou de la Normandie.

VI

Le chef d'une branche indépendante ou dissidente de la Théosophie, un érudit, un philosophe et un visionnaire extrêmement curieux, dont j'ai déjà parlé, Rudolph Steiner, use à peu près des mêmes procédés, mais tente du moins de les expliquer et de les justifier.

A la différence des théosophes orthodoxes, il ne se contente point de révéler, de commenter et d'interpréter les livres secrets et sacrés de la tradition orientale, mais entend trouver en lui-même toutes les vérités qu'ils renferment. « C'est dans l'âme, proclame-t-il, que se révèle le sens de l'univers. » Le secret de tout est en nous, puisque tout est en nous, et il est en chacun de nous autant qu'il était dans le Christ. « Le Logos en évolution incessante en des millions de personnalités humaines a été détourné et concentré par la conception chrétienne sur l'unique personnalité de Jésus. La force divine éparse dans le monde entier fut ramassée en un seul. Aux yeux de cette conception, Jésus est le seul homme devenu Dieu. Il a pris sur lui la divinisation de toute l'humanité. On cherche en lui ce que précédemment on avait cherché dans sa propre âme[60]. »

[60] RUDOLPH STEINER, *Le Mystère chrétien et les Mystères antiques*. Trad. par ÉDOUARD SHURE, p. 228.

Il faut reprendre cette recherche que le symbole du Christ a trop longtemps interrompu. Cette idée très défendable quand on y voit la recherche de notre « Moi transcendental », dont le subconscient de nos métapsychistes n'est que la partie la plus accessible, devient beaucoup plus contestable dans les développements que lui donne notre auteur. Il prétend nous révéler le moyen de réveiller presque mécaniquement et infailliblement le Dieu qui dort en nous. Selon lui, « la différence entre l'initiation orientale et l'initiation occidentale consiste en ce que la première se faisait à l'état de sommeil et la seconde à l'état de veille. On évite par conséquent la séparation toujours dangereuse du corps éthérique d'avec le corps physique ». Pour obtenir l'état extatique qui permet de se mettre en communication avec les mondes supérieurs ou avec tous les mondes dispersés dans l'espace et le temps et même avec la divinité, il s'agit, par des exercices spirituels, de cultiver et développer méthodiquement certains organes de l'astral qui nous font voir et entendre, dans les êtres et les choses, des entités qui ne pénètrent jamais sur le plan physique. Les principes de ces exercices, du moins dans leurs parties spirituelles, sont évidemment empruntées aux pratiques immémoriales du Yoga hindou, et notamment au Sûtra de Patânjali. Steiner enseigne ainsi que l'organe astral qui se trouverait dans le voisinage du larynx servirait à voir les pensées des autres hommes et permettrait de jeter un regard profond dans les vraies lois des phénomènes naturels. C'est encore ainsi qu'un organe qui avoisinerait le cœur, serait l'instrument qui servirait à connaître les états d'âme des autres hommes. Quiconque l'aurait développé pourrait vérifier l'existence de certaines forces profondes chez les animaux ou chez les plantes. C'est ainsi, enfin, que le sens qui résiderait au creux de l'estomac percevrait les facultés et les talents des hommes et découvrirait en outre le rôle que les animaux, les végétaux, les pierres, les métaux, les phénomènes atmosphériques jouent dans l'économie de la nature. Il expose longuement et minutieusement tout ceci, comme tout ce qui concerne l'évolution, l'entraînement, l'organisation du corps éthérique, et la vision du « Soi » supérieur, dans un livre intitulé : *L'Initiation ou la connaissance des mondes supérieurs*[61].

[61] RUDOLPH STEINER, *L'Initiation.* Trad. par JULES SAUERWEIN, p. 188 et suiv.

Quand on lit ce traité de l'extase, du reste remarquable à plus d'un point de vue, on est tenté de se demander si l'auteur a réussi à éviter le danger contre lequel il prémunit ses disciples et s'il ne se trouve pas lui-même « dans un univers créé de toutes pièces par sa propre imagination » ; j'ignore du reste si l'expérience confirme ses allégations. On peut essayer. Les procédés sont assez simples et, au rebours de ceux du Yoga, parfaitement inoffensifs. Mais il faut que l'entraînement spirituel se fasse sous la direction d'un maître qu'il n'est pas toujours facile de se procurer. En tout cas, il est permis de concevoir une sorte d'« état second » supérieur à celui des hypnotisés, des somnambules ou des médiums, qui procurerait des visions ou des intuitions très différentes de celles que nous fournissent nos sens ou notre intelligence dans leur état normal. Quant à savoir si ces visions ou ces intuitions répondent à des réalités d'un autre plan ou d'autres mondes, c'est une question que pourraient seuls trancher ceux qui les ont éprouvées. La plupart des grands mystiques ont eu spontanément des visions et des intuitions de ce genre, mais elles ne seraient vraiment intéressantes que s'il était prouvé qu'elles proviennent de mystiques réellement et totalement illettrés. Tels étaient, soutient-on, Jakob Boëhme, le théosophe-cordonnier de Goerlitz et Ruysbroeck l'Admirable, le vieux moine brabançon qui vécut aux XIIIe et XIVe siècles. Si vraiment il n'y avait pas dans leurs révélations réminiscence inconsciente de lectures, on y rencontre de telles analogies avec les enseignements, devenus plus tard ésotériques, des grandes religions primitives, qu'il faudrait croire que tout au haut ou tout au fond de l'humanité, cet enseignement existe, identique, immuable et latent, et correspond à quelque vérité objective et universelle. On trouve notamment dans l'*Ornement des Noces spirituelles*, dans le *Livre de la suprême Vérité*, dans le *Livre du Royaume des Amants* de Ruysbroeck, des pages entières qui, abstraction faite de la phraséologie chrétienne, pourraient avoir été écrites par un anachrorète du temps des Brahmanes, ou par un néo-platonicien d'Alexandrie. D'autre part, l'idée fondamentale de l'œuvre de Boëhme est l'idée néo-platonicienne d'une divinité inconsciente ou d'un « néant » divin, qui prend graduellement conscience en s'objectivant et en réalisant ses virtualités latentes. Mais Boëhme, nous l'avons vu, n'était nullement illettré. Quant à Ruysbroeck, bien que son œuvre soit écrite dans le patois flamand que parlent encore les paysans du Brabant et des Flandres, n'oublions pas qu'avant de devenir l'ermite de la forêt de Soignes, il avait été vicaire à Bruxelles et avait vécu dans l'atmosphère mystique qu'avaient créée, aux XIIIe et XIVe siècles, Albert Le Grand et surtout ses contemporains Johann Eckhart dont le panthéisme mystique est analogue à celui des Alexandrins et Jean Tauler qui, au dire de Surius, le traducteur et le biographe de Ruysbroeck, visita celui-ci dans sa solitude de Groenendael. Or, Jean Tauler préconisait également l'union avec la divinité et la création de Dieu dans l'âme. On voit donc qu'il est assez hasardeux d'affirmer que ses visions furent absolument spontanées.

VII

Pour Steiner, la question ne se pose même pas. Avant d'avoir retrouvé ou cru retrouver en lui-même les vérités ésotériques qu'il révèle, il connaissait à fond toutes les littératures mystiques, de sorte qu'il est à peu près certain que ses visions ne lui furent apportées que par le reflux de sa mémoire consciente ou subconsciente. Au demeurant, il ne diffère guère des théosophes orthodoxes, que sur un point qui peut paraître plus ou moins essentiel : au lieu de faire, non pas du Bouddha, mais des Bouddhas, c'est-à-dire des révélateurs ou des intermédiaires successifs, les centres de l'évolution spirituelle, il attribue au Christ le rôle capital dans cette évolution, synthétisant en lui tout le divin épars dans tous les hommes et en faisant ainsi le symbole par excellence de l'humanité à la recherche du Dieu qui dort en elle. C'est une opinion soutenable, quand on l'envisage, comme il semble le faire, au point de vue allégorique, mais qu'il serait plus difficile de défendre au point de vue historique.

Steiner a mis en pratique ses méthodes intuitives, qui sont une sorte de psychométrie transcendentale, pour reconstituer l'histoire des Atlantes et nous révéler ce qui se passe dans le soleil, la lune et d'autres mondes. Il nous décrit les transformations successives des entités qui deviendront des hommes, et il le fait avec tant d'assurance qu'on se demande, après l'avoir suivi avec intérêt à travers des préliminaires qui dénotent un esprit très pondéré, très logique et très vaste, s'il devient subitement fou ou si l'on a affaire à un mystificateur ou à un véritable voyant. Dans le doute, on se dit que le subconscient, qui nous a déjà causé tant de surprises, nous en réserve peut-être d'autres qui seront aussi fantastiques que celles du théosophe autrichien, et, instruit par l'expérience, on s'abstient de le condamner sans appel.

Tout compte fait, nous constatons une fois de plus, au sortir de ses œuvres, comme au sortir de la plupart des autres, que ce qu'il appelle « le grand drame de la connaissance que les anciens représentaient et vivaient dans leurs temples », et dont la vie, la mort et la résurrection du Christ, comme celles d'Osiris et de Krischna, n'est qu'une interprétation symbolique, devrait plutôt s'appeler le grand drame de l'ignorance essentielle et invincible.

LES MÉTAPSYCHISTES

I

Nous arrivons ainsi aux occultistes d'aujourd'hui, qui ne sont plus des hiérophantes, des adeptes, des initiés ou des voyants, mais de simples chercheurs appliquant à l'étude des phénomènes anormaux les méthodes de la science expérimentale. Ces phénomènes, pour peu que l'attention soit mise en éveil, on les constate de toutes parts dans la vie. Sont-ils exclusivement dus aux forces inconnues du subconscient ou à des entités invisibles qui ne sont pas, ne sont pas encore ou ne sont plus des hommes ? Le grand intérêt, on pourrait dire tout l'intérêt de la question est là, mais la réponse est encore en suspens, bien que s'accentue la tendance à la chercher dans un autre monde que le nôtre ; et la conversion au spiritisme de purs savants tels que sir Oliver Lodge, et plus récemment celle du professeur W.-J. Crawford, sont à cet égard assez significatives.

Je ne reviendrai pas ici sur les communications spirites, les phantasmes des vivants et des morts, les phénomènes prémonitoires, les manifestations psychométriques et médiumniques dont j'ai esquissé l'étude dans *La Mort* et dans *L'Hôte Inconnu*. Ce que j'en ai dit dans ces livres peut donner une idée sommaire, provisoire, — car tout est provisoire dans ces régions, — mais suffisante, de l'état présent de la science métapsychique sur ces points.

Mais il en est d'autres qui n'entraient pas alors dans le cadre de mon travail, qu'il faut que j'aborde aujourd'hui, d'abord parce qu'ayant passé en revue, rapidement, mais aussi complètement que possible, dans une monographie forcément écourtée, tout l'occultisme passé, il est équitable de traiter de la même façon l'occultisme présent, mais aussi et surtout parce que ces points que j'avais réservés jettent une lumière assez inattendue sur plusieurs autres et autorisent sinon des conclusions, du moins certaines inductions qui termineront cette étude.

II

Il ne s'agit plus, pour nos modernes occultistes comme pour leurs devanciers plus présomptueux, d'interroger directement l'inconnaissable, de remonter aux origines de la Cause sans Cause, d'expliquer l'inexplicable transition de l'infini au fini, de l'inconnaissable au connu, de l'esprit à la matière, du bien au mal, de l'absolu au relatif, de l'éternel à l'éphémère, de l'invisible au visible, de l'immobilité au mouvement, du virtuel au réel, et de trouver dans tout cet incompréhensible une théogonie, une cosmogonie, une religion et une morale qui ne soient pas aussi désespérantes que les ténèbres d'où on s'est efforcé de les tirer.

Assagis par d'innombrables désillusions, ils se résignent à un rôle plus modeste. Au milieu d'une science que la nature même de ses investigations a rendu presque nécessairement matérialiste, ils conquièrent patiemment un îlot où ils donnent asile à des phénomènes que les lois ou plutôt les habitudes de la matière, telles que croyons les connaître, ne suffisent pas à expliquer. Ils arrivent ainsi, peu à peu, sinon à nous prouver, du moins à nous acheminer vers la preuve, qu'il y a dans l'homme, que l'on peut considérer comme une sorte de résumé de l'univers, une force spirituelle autre que celle qui émane de ses organes ou de son cerveau matériel et conscient et qui ne dépend pas uniquement de l'existence de son corps. Reconnaissons que cet îlot de nos occultistes, qui prennent maintenant le nom de métapsychistes, est encore assez désordonné. On y remarque tout le désarroi d'une installation récente et provisoire. Chacun y apporte chaque jour ses petites ou ses grandes trouvailles, les déballe et les entasse pêle-mêle sur la grève. Le très incertain y voisine avec l'incontestable, l'excellent avec le pire et le commencement avec la fin. Il serait temps de tirer de cette profusion et de cette confusion de matériaux, quelques lois générales qui y missent un peu d'ordre ; mais il est douteux qu'on le puisse d'ores et déjà tenter, car l'inventaire n'est pas terminé et l'on pressent qu'une découverte inattendue peut tout remettre en question et renverser de fond en comble les théories le plus prudemment édifiées.

En attendant, on pourrait essayer de commencer par le commencement. Puisque les phénomènes qui s'accumulent tendent à établir que la force spirituelle qui émane de l'homme ne dépend pas entièrement de son cerveau et de la vie de son corps, il serait logique de démontrer d'abord que la pensée peut exister sans cerveau et en fait existait avant qu'un cerveau ne fût né. Si l'on y réussissait, l'existence posthume et tous les phénomènes attribués au subconscient deviendraient presque naturels et, en tout cas, beaucoup plus explicables.

III

La grande objection que les matérialistes ont toujours faite aux spiritualistes et qu'ils font encore, mais moins hardiment aujourd'hui, se résume en ceci : Pas de pensée sans cerveau. L'âme ou l'esprit est une sécrétion de la substance cérébrale ; le cerveau mort, la pensée s'arrête et il ne reste rien.

A cette objection formidable, à ces constatations en apparence irréfutables, parce que l'expérience quotidienne de la mort vient sans cesse les confirmer, on n'avait jusqu'ici à opposer aucun argument réellement sérieux. On était au fond beaucoup plus désarmé qu'on n'osait en convenir. Mais depuis un certain nombre d'années, les travaux de nos métapsychistes, dont on n'a pas encore tiré toutes les conséquences, fournissent enfin, sinon des arguments péremptoires qu'on ne trouvera peut-être jamais, du moins des commencements d'arguments qui permettent de faire tête aux matérialistes, non plus dans les nuages religieux ou métaphysiques, mais sur leur propre terrain où règne seule la déesse, d'ailleurs fort respectable, de la méthode expérimentale. On rejoint ainsi, par-dessus les siècles, les affirmations et les constatations que des ancêtres préhistoriques nous avaient léguées comme un trésor secret ou trop longtemps enseveli dans l'oubli.

On fuierait avec plaisir ces discussions assez oiseuses entre spiritualistes et matérialistes, si ces derniers n'obligeaient d'y revenir, en soutenant aveuglément que la matière est tout, le principe de tout, que tout commence et finit en elle et par elle et qu'il n'y a pas autre chose. Il serait plus raisonnable de reconnaître, une fois pour toutes, que la matière et l'esprit ne sont au fond que deux états différents d'une même substance ou plutôt d'une même énergie éternelle. C'est ce qu'a toujours affirmé, plus nettement qu'aucune autre, la religion primitive de l'Inde, en ajoutant que l'esprit était l'état primordial de cette substance ou de cette énergie et que la matière n'est que le résultat d'une manifestation, d'une condensation ou d'une dégradation de l'esprit. Toute sa cosmogonie, toute sa théosophie et toute sa morale découle de ce principe fondamental, dont les conséquences, alors qu'en apparence il ne s'agit que d'une querelle de mots, sont, en pratique, énormes.

Il s'agit donc tout d'abord de savoir si l'esprit est antérieur à la matière ou si l'inverse est vrai, si la matière est la condition de l'esprit ou si c'est au contraire l'esprit qui est la condition de la matière. Dans l'état présent de la science, et sans tenir compte des enseignements des grandes religions, est-il possible de répondre à cette question ?

Nos matérialistes affirment que la vie est la condition indispensable pour que la pensée naisse et se forme dans le cerveau. Ils ont raison ; mais qu'est-ce que la vie, à leurs yeux, sinon une manifestation de la matière qui déjà n'est plus la matière telle qu'ils l'entendent et que nous avons bien le droit d'appeler esprit, âme et même dieu si nous le désirons ? S'ils soutiennent que la matière ne peut produire la vie sans qu'un germe venu du dehors ne l'y fasse naître, ils passent *ipso facto* dans notre camp, puisqu'ils reconnaissent qu'il faut autre chose que la matière pour produire la vie. Si d'autre part, ils prétendent que la vie émane de la matière, ils confessent qu'elle s'y trouvait préalablement renfermée, et reviennent se ranger parmi nous. Ils ont du reste récemment, — voyez entre autres les expériences du Dr Gustave Le Bon, — été forcés de reconnaître que la matière inerte n'existe point, et qu'un caillou, un bloc de lave, stérilisé par les feux les plus infernaux, est doué d'une activité intra-moléculaire absolument fantastique, et dépense en tourbillons intérieurs une énergie qui serait capable d'ébranler des trains entiers et de leur faire faire le tour de notre globe. Or, qu'est-ce que cette activité et cette énergie, sinon une forme irrécusable de la vie universelle ? Et nous voilà encore une fois d'accord. Mais où nous ne le sommes plus, c'est quand ils prétendent sans aucune raison, ou plutôt contre toute raison, que la matière existait avant cette énergie. Nous pouvons admettre qu'elle existait en même temps, depuis l'origine du monde ; mais la simple logique et l'observation des faits nous obligent de reconnaître que lorsque la matière s'est mise en mouvement, s'est mise à évoluer, non plus intérieurement, comme dans un caillou, mais extérieurement, comme dans un cristal, une plante ou un animal, c'est la même énergie, la même force motrice qui était en elle qui a déterminé ce mouvement ou cette évolution. Cette même logique et cette même observation des faits nous forcent encore de reconnaître que lorsqu'il s'est agi de transformer et d'organiser la matière, ce n'est pas celle-ci, mais la vie qu'elle recélait, qui a commencé. Or dans ce cas, comme dans les querelles qui se terminent devant les tribunaux, il est extrêmement important de savoir qui a commencé. Si c'est la matière, — mais soit dit en passant, comment commencerait-elle quelque chose, comment prendrait-elle une initiative, sans cesser d'être la matière, telle que la définissent les matérialistes, c'est-à-dire une chose par elle-même nécessairement inerte et immobile ? — Mais enfin, si pour admettre l'impossible, c'est la matière qui a commencé, il est assez probable que notre esprit périra ou plutôt s'éteindra avec elle et retournera en elle à cette élémentaire activité intra-moléculaire qui marquait son commencement et marquera sa fin. Si c'est au contraire l'esprit qui a commencé, il est non moins probable, qu'ayant su transformer la matière et l'organiser, il est plus puissant et d'une autre nature que cette matière, et qu'ayant su s'en servir, en tirer parti pour évoluer, s'accroître et s'élever, — et c'est bien l'évolution spirituelle que nous constatons, sur notre terre qui part du minéral, pour aboutir à l'homme, — il est, dis-je, non moins probable qu'ayant su se servir de la matière et en être le maître, il ne lui permettra pas, quand elle semblera se dissoudre, de l'entraîner dans sa dissolution, de l'éteindre quand elle s'éteint ou de le faire rétrograder vers cette obscure activité intra-moléculaire d'où il l'avait tirée…

IV

En tout cas, pour ce qui nous intéresse particulièrement, c'est-à-dire l'antériorité de la pensée ou du cerveau, ou la possibilité de la pensée sans cerveau, la question est tranchée par les faits. Avant l'apparition de l'homme et des animaux les plus intelligents, la nature était déjà beaucoup plus intelligente que nous et avait déjà réalisé dans le monde des plantes, des poissons, des sauriens, des oiseaux reptiliens, et surtout dans le monde des insectes, la plupart des inventions merveilleuses devant lesquelles nous nous extasions encore aujourd'hui. Où était à ce moment, le cerveau de la nature ? Probablement dans la matière et surtout hors de la matière, partout et nulle part, comme il est encore aujourd'hui. Vous aurez beau nous objecter que tout cela s'est fait peu à peu, avec une lenteur infinie, à travers des tâtonnements incessants ; c'est entendu, mais le temps ne fait rien à l'affaire. Il est donc évident, à moins que vous n'admettiez que l'effet précède la cause, qu'il y avait quelque part, on ne sait où, une intelligence qui déjà fonctionnait sans organes visibles ou localisables, nous démontrant ainsi que les organes que nous croyons indispensables pour qu'une pensée se produise, ne sont que le produit d'une pensée préexistante, les effets d'une cause antérieure et spirituelle.

V

Il est au demeurant fort possible que depuis la formation de notre cerveau, la nature pense mieux qu'elle ne le faisait. Il est fort possible, comme le prétendent certains biologistes, que les acquisitions de notre intelligence profitent à la nature et se reversent dans le fonds commun de l'intelligence universelle. Je n'y vois, pour ma part, aucun inconvénient. Cela ne prouve nullement que la nature ait besoin du cerveau de l'homme pour avoir des idées. Elle les avait toutes bien avant lui. Quand l'homme invente par exemple l'imprimerie ou la machine à écrire pour faciliter la diffusion de sa pensée, cela ne prouve nullement qu'il ait besoin de l'imprimerie ou de la machine à écrire pour penser.

Il semble en effet que la nature, tout au moins sur notre petite terre, se soit assagie, et ne commette plus les énormes bévues qu'elle faisait à l'origine, quand elle créait des milliers de monstres hétéroclites et inviables. Il n'en est pas moins vrai qu'elle ne nous a pas attendus pour se mettre à penser et à imaginer beaucoup plus de choses que nous n'en imaginerons jamais. Nous n'avons pas cessé et nous ne cesserons pas de sitôt, de puiser à pleines mains à l'immense fonds d'intelligence accumulé par elle avant notre venue. Ernest Kapp, dans sa *Philosophie de la Technique*, a lumineusement démontré que toutes nos inventions, toutes nos machines, ne sont que des projections organiques, c'est-à-dire des imitations inconscientes de modèles fournis par la nature. Nos pompes sont la pompe de notre cœur, nos bielles sont la reproduction de nos articulations, notre appareil photographique est la chambre noire de notre œil, nos appareils télégraphiques représentent notre système nerveux ; dans les rayons X, nous reconnaissons la propriété organique de la lucidité somnambulique qui voit à travers les objets, qui lit par exemple le contenu d'une lettre cachetée et enfermée dans une triple boîte de métal. Dans la télégraphie sans fil, nous suivons les indications que nous avait données la télépathie, c'est-à-dire la communication directe d'une pensée, par ondes spirituelles analogues aux ondes hertziennes, et dans les phénomènes de la lévitation et des déplacements d'objets sans contact, se trouve une autre indication dont nous n'avons pas encore su tirer parti. Elle nous met sur la voie du procédé qui nous permettra peut-être un jour de vaincre les terribles lois de la gravitation qui nous enchaînent à cette terre, car il semble bien que ces lois, au lieu d'être, comme on le croyait, à jamais incompréhensibles et impénétrables, sont surtout magnétiques, c'est-à-dire maniables et utilisables.

VI

Et je ne parle ici que du monde restreint de l'homme. Que serait-ce si nous faisions le recensement des inventions de la nature dans le royaume des insectes, où elle semble avoir prodigué, bien avant notre arrivée sur la terre, un génie plus varié et plus abondant que celui qu'elle a dépensé pour nous. Outre l'idée d'organisations politiques et sociales que nous imiterons peut-être un jour, nous y trouverions des miracles mécaniques qui nous sont inaccessibles et le secret des forces dont nous n'avons encore aucune notion. D'où vient, notamment, pour ne citer que le plus humble et le plus désagréable des exemples, d'où vient l'énergie fabuleuse qui permet à la puce de faire un bond qui correspond pour l'homme à un saut en hauteur ou en longueur de quatre ou cinq cents mètres ? Et le scorpion languedocien, où puise-t-il l'aliment mystérieux qui, malgré une activité incessante, lui permet de vivre pendant neuf mois sans aucune nourriture ? Où le puisent aussi les petits de la Lycose et de l'araignée Clotho, qui ont une faculté analogue ? En vertu de quelle alchimie voyons-nous, dans l'isolement absolu, sans que rien du dehors s'y puisse introduire, décupler sur place le volume de l'œuf d'un autre insecte, le Minotaure ? Le grand entomologiste, J.-H. Fabre, sans se douter qu'il rééditait une théorie fondamentale de Paracelse, — car malgré elle, la science se rapproche chaque jour de la Magie, — soupçonne très curieusement « qu'ils empruntent une partie de leur activité aux énergies ambiantes, chaleur, électricité, lumière ou autres modes variés d'un même agent, » qui est exactement l'agent universel, l'astral, le fluide cosmique, éthérique ou vital, l'Akahsa des occultistes ou l'Od de nos savants modernes.

VII

Pour le dire en passant, la nature sans cerveau, clairement, une fois de plus, indique ici à nos cerveaux la voie qu'ils auront à suivre s'ils veulent nous débarrasser des lourds et répugnants assujettissements de la nourriture, qui nous accordent à peine quelques heures de loisir, entre les trois ou quatre repas que nous devons faire chaque jour. L'heure est peut-être moins éloignée qu'on ne croit, où nous cesserons d'être des estomacs avides et des ventres insatiables, où nous découvrirons à notre tour le magnifique secret de ces insectes et parviendrons à tirer, à leur exemple, notre vie du fluide universel et invisible qui nous enveloppe et nous pénètre aussi bien qu'eux.

Il y a là, pour notre science, des champs inexplorés et illimités. Il y aura là, surtout au point de vue de notre vie spirituelle, une transformation qui facilitera singulièrement l'intelligence de notre existence future ; car lorsque nous n'aurons plus à faire les trois ou quatre repas qui maintenant encombrent ou illuminent, selon les tempéraments, toutes nos heures, depuis le lever jusqu'au coucher du soleil, nous commencerons peut-être à comprendre que la pensée ou l'âme n'est pas nécessairement malheureuse, désœuvrée, désemparée et la proie d'un éternel ennui, quand elle n'a plus dans la journée les points de repère ou les buts que sont le déjeuner, le thé, le dîner et le souper. Ce sera une excellente initiation au régime d'outre-tombe et de l'éternité.

Pour revenir une dernière fois à cette question de la pensée sans cerveau, qui est la clef de voûte de tout l'édifice, supposons qu'à la suite d'un cataclysme qui sans doute s'est déjà produit et peut à chaque instant se reproduire sur notre globe, tous les cerveaux, toutes les plus élémentaires, les plus gélatineuses velléités d'organisation nerveuse ou cérébrale, depuis celle de l'amibe jusqu'à l'homme, soient brusquement anéantis. Croyez-vous que la terre resterait nue, déserte, inerte, à jamais morte, si les conditions d'existence redevenaient exactement semblables à ce qu'elles étaient avant la catastrophe ? Il n'est guère permis de le présumer. Il est au contraire à peu près certain que la vie, retrouvant les mêmes circonstances favorables, recommencerait à peu près de la même façon. L'intelligence renaîtrait graduellement, des idées reparaîtraient, se formeraient de nouveaux organes, nous donnant ainsi l'irréfragable preuve que la pensée n'était pas morte, qu'elle ne peut pas mourir, qu'elle se réfugie et subsiste quelque part, intangible et impérissable, au-dessus de la ruine totale de ses instruments ou de ses véhicules, et qu'elle est, en un mot, indépendante de la matière.

VIII

Étudions maintenant en nous-mêmes cette préexistence de l'esprit. Avions-nous déjà un cerveau quand au moment de notre conception nous étions encore cet infusoire que seuls les microscopes peuvent rendre visible à nos yeux ? Pourtant, nous étions déjà en puissance tout ce que nous sommes aujourd'hui. Nous n'étions pas seulement nous-mêmes, avec notre caractère, nos idées innées, nos vertus et nos vices, tout ce que notre cerveau qui n'existait pas encore allait développer beaucoup plus tard ; nous renfermions déjà tout ce que nos ancêtres avaient été ; nous portions en nous tout ce qu'ils avaient acquis dans une suite de siècles dont nul ne sait le nombre ; leurs expériences, leur sagesse, leurs habitudes, leurs tares et leurs qualités, les conséquences de leurs fautes et de leurs mérites ; tout cela s'entassait, s'agitait, fructifiait dans un point invisible. Nous y portions aussi, ce qui paraît bien plus extraordinaire, mais est aussi incontestable, toute notre descendance, toute la suite ininterrompue de nos enfants et des enfants de nos enfants en qui nous revivrons dans l'infini des temps, et dont nous contenions déjà toutes les aptitudes, tout le destin, tout l'avenir. Quand la matière accumule tant de choses en une sorte de bout de fil si ténu qu'il échappe presque au microscope, n'est-elle pas subtile au point de ressembler étrangement à un principe spirituel ?

Négligeons aujourd'hui l'action de nos descendants sur nous-mêmes, sur notre caractère, sur nos déterminations, action qui est assez probable puisqu'ils existent incontestablement en nous, mais qu'il serait trop long de rechercher, et insistons un moment sur ce fait que nos ancêtres qui nous paraissent morts continuent très réellement de vivre en nous. Je ne m'attarderai pas sur ce point, car j'ai hâte d'aborder des arguments plus récents ; je me contenterai donc de le signaler à votre attention, car les phénomènes de l'hérédité sont maintenant admis et classés. Il est indubitable que chacun d'entre nous n'est qu'une sorte de total de ses ascendants et reproduit plus ou moins exactement la personnalité de l'un ou de plusieurs d'entre eux qui manifestement continuent de penser et d'agir en lui. Il pense par notre cerveau, direz-vous. C'est peut-être vrai. Il use de l'organe qu'il a à sa disposition, mais il est évident qu'il existe toujours, qu'il vit et pense bien qu'il n'ait plus de cerveau personnel, et c'est tout ce qu'il importait pour l'instant d'établir.

IX

Nous venons de voir, trop rapidement et trop sommairement, que la pensée peut exister, et en fait existe partout sans cerveau, qu'elle semble antérieure à la matière et qu'elle a en réalité une existence indépendante de celle-ci. Je ne noterai qu'en passant une objection des matérialistes qui nous disent : « Si la pensée est indépendante de la matière, comment se fait-il qu'elle cesse de fonctionner ou ne fonctionne plus qu'incomplètement quand le cerveau est lésé ? » Cette objection, qui du reste n'atteint pas la source de la pensée mais seulement l'état de son conducteur ou de son condensateur, perd une partie de sa valeur si on lui oppose un nombre suffisant de constatations qui prouvent exactement le contraire. Je pourrais, si nous en avions le loisir, vous fournir une liste de cas médicalement établis où la pensée a continué de fonctionner normalement, alors que la presque totalité du cerveau est réduite en bouillie ou n'est plus qu'un abcès purulent. Je renvoie ceux que la question intéresse aux ouvrages spéciaux ; ils trouveront notamment dans le livre magistral du Dr Geley : « *De l'Inconscient au Conscient* », des exemples qui les convaincront[62].

[62] Dr G. GELEY, *De l'Inconscient au Conscient*, p. 8 et suiv.

Au fond, cette objection des matérialistes est surtout un sophisme qui a été fort bien réfuté par le Dr Carl du Prel. Dire que toute blessure faite au cerveau atteint l'esprit, que toute pensée cesse quand le cerveau est détruit et qu'en conséquence l'esprit est un produit du cerveau, c'est raisonner exactement comme ceci : toute lésion de l'appareil télégraphique nuit à la dépêche, et le fil étant coupé, la dépêche n'existe plus ; donc l'appareil produit la dépêche, et il est interdit à la science de supposer qu'il y a encore, derrière l'appareil, un employé du télégraphe.

X

Arrivons aux constatations que la science de ces dernières années, rejoignant par-dessus des millénaires les affirmations des anciennes religions et des occultistes, vient de recueillir. Elles jettent un jour nouveau sur le problème et corroborent enfin, par l'expérience, les doctrines ésotériques au sujet du corps astral, ou éthérique, ou de l'hôte inconnu, si vous le préférez, de ses facultés extraordinaires et incompréhensibles, de sa survivance probable et de son indépendance par rapport à notre corps physique.

Nous savions tous qu'une partie très importante de notre existence, de notre personnalité, était ensevelie dans les ténèbres de l'inconscience ou de la subconscience. Nous logions dans ces ténèbres toute notre vie organique, celle de notre estomac, de notre cœur, de nos poumons, de nos reins et de notre cerveau même, qui fonctionnent dans une obscurité où ne pénètre que par hasard, — en cas de maladie, par exemple, — un rayon de conscience. Nous y logions ensuite nos instincts, les plus bas comme les plus hauts, tout ce qu'il y avait d'inné, de mystérieux et d'irrésistible dans nos connaissances et nos aspirations, nos goûts, nos aptitudes, et notre caractère, et bien d'autres choses que nous n'avons pas le temps de passer en revue.

Mais depuis un certain nombre d'années, des études scientifiques sur l'hypnotisme et la médiumnité ont prodigieusement agrandi et éclairé cet extraordinaire et féerique domaine de l'inconscient.

On est arrivé, pas à pas, à constater d'une manière objective, matérielle et indubitable, que notre petite existence consciente et cérébrale n'est rien si on la compare à l'immense existence ultra-cérébrale et secrète que nous menons en même temps ; cette existence inconnue englobe le passé et l'avenir et, même dans le présent, peut s'étendre à d'énormes distances de notre corps physique. On s'est notamment aperçu que la mémoire étroite, infidèle et fragile que nous croyions unique, était doublée dans l'ombre d'une autre mémoire sans limites, infatigable, inépuisable, incorruptible, inébranlable, infaillible, enregistrant quelque part, — peut-être dans le cerveau, mais en tout cas pas dans le cerveau tel que nous le connaissons et qui régit notre conscience, car elle paraît être indépendante de l'état de ce cerveau, — enregistrant, dis-je, de façon indélébile, les moindres événements, les plus minimes émotions, les plus fugitives pensées de notre vie. C'est ainsi, pour ne citer qu'un exemple entre mille, qu'une servante totalement illettrée pouvait, en état d'hypnose, réciter sans une incorrection des pages entières de sanscrit, pour avoir, autrefois, entendu lire par son premier maître, qui était un orientaliste, des passages des Védas.

C'est ainsi qu'il a été prouvé que n'importe quel chapitre d'un des milliers de livres que nous avons lus reste inaltérablement photographié dans notre souvenir et peut, à un moment donné, reparaître sous nos yeux, sans qu'il y manque un point ou une virgule. C'est encore ainsi que le colonel de Rochas, dans ses expériences sur la régression de la mémoire et de la personnalité, faisait remonter à ses sujets le cours de toute leur vie, jusqu'à leur petite enfance, dont les moindres détails ressuscitaient avec une netteté, un relief extraordinaire, détails qui, lorsqu'ils étaient contrôlés, étaient reconnus parfaitement exacts. Il faisait bien mieux, il parvenait à réveiller la mémoire de leurs vies antérieures. Mais ici, le contrôle étant plus difficile, la question n'est pas au point, et je ne veux vous mener que sur la terre ferme des faits acquis et incontestés.

XI

Donc, voilà déjà une énorme partie de notre moi qui nous échappe, dont nous ignorons l'existence, que nous n'utilisons pas, qui vit, enregistre, agit en dehors de notre cerveau conscient, une mémoire idéale, qui, pratiquement, ne nous sert de rien, à côté de laquelle celle qui nous obéit n'est qu'un étroit sommet, une sorte d'aiguille, sans cesse rongée par le temps, émergeant de l'océan de l'oubli, et sous laquelle se prolonge et s'étale une colossale montagne de souvenirs inaltérables, dont notre cerveau ne peut tirer parti. Or, sur quoi fondons-nous notre personnalité, la nature de notre moi, cette identité que nous craignons surtout de perdre par la mort ? Uniquement sur notre mémoire consciente, car nous n'en connaissons pas d'autre, et cette mémoire, nous venons de le voir, comparée à l'autre, est précaire et insignifiante. N'est-ce pas le moment de nous demander où se trouve réellement notre moi, où réside notre véritable personnalité ? Est-ce dans la petite mémoire incertaine et précaire ou dans la grande, l'infaillible et l'inébranlable ? Quel moi choisirons-nous après notre mort ? Celui qui n'est fait que de souvenirs vacillants, ou l'autre qui nous représente tout entier, sans solution de continuité, qui n'a pas laissé perdre un fait, un spectacle, une sensation de notre existence et garde, vivant en lui le moi de tous ceux qui sont morts avant nous ? S'il est à redouter que la première mémoire, celle dont se sert notre cerveau, s'altère ou s'éteigne au moment de la mort, comme au moindre malaise elle s'altère ou s'éteint dans la vie, n'est-il pas, au contraire, plus que probable que l'autre, la grande, qu'aucune secousse, aucune maladie ne parvient à troubler, résistera également au choc énorme de la mort et n'y a-t-il pas beaucoup de chances pour que nous la retrouvions intacte de l'autre côté du tombeau ?

Sinon pourquoi ce formidable travail d'enregistrement, cette incroyable accumulation de clichés sans emploi, puisque dans l'existence normale nous n'en secouons jamais la poussière et que les quelques repères de notre mémoire cérébrale suffisent à maintenir les lignes essentielles de notre identité ? Il est admis que la nature n'a rien fait d'inutile ; on doit donc présumer que ces clichés serviront plus tard, qu'ils seront nécessaires ailleurs, et cet ailleurs où peut-il être que dans une autre vie ?

On fera l'inévitable objection que c'est le cerveau seul qui enregistre les clichés de cette mémoire, comme les clichés, de l'autre et que le cerveau étant mort, etc. C'est possible, mais ne serait-il pas assez bizarre qu'il fût seul à faire avec un soin, qui l'absorberait tout entier, toutes ces opérations qui ne l'intéressent pas, dont, l'instant d'après, il n'a plus cure, et dont il ne semble pas se rendre compte ? En tout cas, ce n'est pas le cerveau tel que nous l'entendons communément, et c'est déjà une très importante constatation.

XII

Mais cette mémoire cachée, ou cryptomnésie, comme l'appellent les spécialistes, n'est qu'une des faces de la cryptopsychie ou psychologie cachée de l'inconscient. Je n'ai pas le loisir de rappeler ici tout ce que le savant, l'artiste, le mathématicien doit à la collaboration du subconscient. Nous avons tous plus ou moins profité de cette collaboration mystérieuse.

Ce subconscient, ce personnage étrange que j'ai appelé d'ailleurs : « L'Hôte Inconnu », qui vit et agit pour son propre compte en dehors de notre cerveau, ne représente pas seulement tout notre passé qu'il cristallise intégralement dans sa mémoire ; il est aussi notre avenir qu'il pressent, qu'il découvre, que souvent il révèle, car les prédictions véridiques chez certains sensitifs ou somnambules, particulièrement doués, quand il s'agit de faits personnels, sont si nombreuses que l'existence de la faculté n'est plus guère niable. Il déborde donc prodigieusement dans le temps, notre petit « Moi » conscient, qui ne vit que sur l'étroit plateau du présent. Il le déborde tout aussi prodigieusement dans l'espace. Par-dessus les océans et les montagnes, parcourant en une seconde des centaines de lieues, il nous avertit de la mort ou du malheur qui frappe ou qui menace l'un des nôtres à l'autre bout du monde.

Sur ce point, il n'y a plus le moindre doute, et des milliers de faits contrôlés nous dispensent de renouveler les réserves que nous venons de faire au sujet des prédictions de l'avenir.

Cet hôte inconnu et probablement gigantesque, dont nous n'avons pas aujourd'hui à prendre les mesures, mais à constater l'existence, est du reste bien moins un personnage nouveau qu'un personnage oublié depuis la recrudescence de nos sciences positives. Nos diverses religions le connaissaient bien mieux que nous et qu'elles l'aient appelé « âme — esprit — corps éthérique — corps astral — étincelle divine », peu importe, c'est toujours la même entité transcendentale qui englobe notre cerveau, et notre « Moi » conscient, existait probablement avant celui-ci et lui survit aussi probablement qu'il lui préexistait, et sans la présence duquel on ne peut expliquer les trois quarts des phénomènes essentiels de notre vie.

XIII

Laissant de côté pour l'instant d'autres propriétés de ce singulier personnage, qu'on croyait à jamais relégué dans l'invisible, telles que les matérialisations, l'idéoplastie, les lévitations, la lucidité, la bilocation, la psychométrie, etc., il me reste à exposer de quelle façon imprévue et curieuse, une science assez récente est parvenue à constater, à étudier et à analyser certaines de ces manifestations physiques, et à examiner ce que ces constatations ajoutent aux probabilités de survie ou d'immortalité du même personnage, qui pourrait bien être après tout la partie essentielle et impérissable de notre « Moi ».

Je viens de rappeler à quel point les études sur l'hypnotisme et la médiumnité ont étendu le champ du subconscient. Jusqu'ici, selon les écoles, on attribuait les phénomènes qu'on y constatait, soit à la suggestion, soit à un fluide dont on ignorait la nature et dont on se bornait à enregistrer les effets surprenants. Les choses en étaient là, et les querelles entre suggestionistes et mesmériens menaçaient de s'éterniser lorsque, il y a une cinquantaine d'années, en 1866 et 1867, pour être précis, un savant autrichien, le baron von Reichenbach, publia ses premiers ouvrages sur les effluves odiques. Le docteur Carl du Prel, un savant allemand, compléta l'œuvre de Reichenbach et, doué d'un esprit scientifique de premier ordre et d'une intuition parfois géniale, sut en tirer toutes les conséquences. On ne leur a pas rendu pleine justice jusqu'ici, et leurs travaux n'ont pas encore obtenu le retentissement qu'ils méritent. Il ne faut pas s'en étonner, les progrès de la science officielle, la seule qui pénètre jusqu'au public, sont toujours beaucoup plus lents que ceux de la science indépendante. Il a fallu plus de cent ans pour que l'électricité de Volta devint notre électricité moderne et la reine du monde industriel. Il a fallu également plus d'un siècle depuis les expériences de Mesmer, pour que l'hypnotisme fût enfin reconnu par les académies de médecine, étudié dans les universités et classé dans la thérapeutique. Il en faudra peut-être autant pour que les expériences de Reichenbach, mises au point par du Prel et complétées par de Rochas, portent tous leurs fruits. En attendant, leurs études jettent un jour admirable sur toute une série de phénomènes obscurs et confus, dont, pour la première fois, elles ont objectivement démontré l'existence et repéré la source.

Reichenbach a réellement redécouvert le fluide vital universel qui n'est autre que l'Akahsa des religions préhistoriques, le Télesma d'Hermès, le feu vivant du Zoroastre, le feu générateur d'Héraclite, la lumière astrale de la Kabbale, l'Alcahest de Paracelse, l'esprit de vie des occultistes, la force vitale de Saint Thomas. Il l'a appelé « Od » d'un mot sanscrit qui veut dire « Qui pénètre partout », et il y voit très justement la limite extrême de notre analyse de l'homme, le point où la ligne de démarcation entre l'esprit et le corps disparaît, si bien qu'il semble que l'essence intime de l'homme soit « odique ».

Je ne peux naturellement pas exposer ici les innombrables expériences de Reichenbach, du Prel et de Rochas. Il suffira de dire qu'en principe, l'Od est le fluide magnétique ou vital qui à chaque seconde notre existence émane de tout notre être, en flots ininterrompus. A l'état normal, ces émanations ou ces effluves dont on soupçonnait l'existence, grâce aux phénomènes de l'hypnotisme, nous demeurent totalement inconnus et invisibles. Reichenbach, le premier, découvrit que les « sensitifs », c'est-à-dire les sujets en état d'hypnose, voyaient très nettement ces effluves dans l'obscurité. A la suite d'un très grand nombre d'expériences dont toutes possibilités de suggestion consciente ou inconsciente étaient soigneusement exclues, il a établi que l'amplitude et la puissance de ces effluves variaient d'après les émotions, l'état d'âme ou de santé de ceux qui les produisaient, qu'ils étaient toujours bleuâtres du côté droit du corps, et d'un rouge jaune du côté gauche. Il a encore constaté que de semblables effluves émanent non seulement de l'homme, des animaux, des plantes, mais même des minéraux. Il est parvenu à photographier l'Od émanant des cristaux de roche, l'Od humain, l'Od résultant d'opérations chimiques, celui de masses de métal amorphes, celui que produit le bruit ou le frottement ; en un mot, il a démontré que le magnétisme ou l'« Od » existe dans la nature entière, ce qu'avaient d'ailleurs enseigné les occultistes de tous les temps et de tous les pays[63].

[63] De récentes expériences de M. Walter-J. Kilner, rapportées dans son livre : *The Human Atmosphere*, sont venues matériellement démontrer

l'existence de ces émanations, de ces effluves, de cette « Aura » humaine ou du moins d'une « Aura » analogue qui est un véritable double astral ou éthérique. Il suffit de regarder le sujet à travers un écran formé d'une cuve de verre très plate renfermant une solution alcoolique de dicyanine, substance chimique dérivée du goudron de houille, qui sensibilise la rétine aux rayons ultra-violets, pour que l'« Aura » apparaisse non plus seulement aux sensitifs, comme dans les expériences de Reichenbach, mais aux yeux de 95 p. 100 des individus doués d'une vue normale. Il est du reste possible que cette « Aura » ne soit pas un double éthérique, mais un simple rayonnement nerveux. Voir à ce sujet l'excellent résumé de M. RENE SUDRE, dans le n° 3 du *Bulletin de l'Institut métapsychique international* (janvier-février 1921).

XIV

Voilà donc l'existence de cette émanation universelle expérimentalement démontrée. Il s'agirait, maintenant, d'en faire connaître les propriétés et les effets.

Je me borne à quelques traits essentiels. Grâce à ces effluves, on a pu constater que ce fluide était le même que celui qui produit les manifestations des tables tournantes ; en effet, aux yeux des sensitifs, ces manifestations s'accompagnent de phénomènes lumineux dont le synchronisme ne laisse aucun doute sur la corrélation de l'émission du fluide avec les mouvements de la table. Elle ne se met en branle que lorsque les radiations qui sortent des mains des assistants deviennent suffisamment puissantes. Ces radiations se condensent en colonnes lumineuses au centre de la table, et plus elles sont intenses, plus la table s'anime. Quand elles s'éteignent, la table retombe inerte.

Il en est de même pour les déplacements d'objets sans contact, les apports, la lévitation, manifestations aujourd'hui suffisamment établies et contrôlées pour qu'on n'ait plus besoin d'en refaire la démonstration. Il est donc certain que ce fluide, qui peut mettre en mouvement un pendule dans un vase de verre clos au chalumeau, comme il est capable de soulever une table de plus de cent kilos, possède une force parfois énorme, indépendante de nos muscles, que l'on peut attribuer à nos nerfs, à notre âme, à tout ce que l'on veut, mais qui n'en est pas moins d'une nature nettement et purement spirituelle.

Il est en outre à peu près certain, bien que les constatations expérimentales soient ici moins avancées et plus difficiles, à cause de la rareté des sujets, que c'est ce même fluide odique qui intervient dans les phénomènes de matérialisation, notamment dans ceux que produisait la célèbre Eusapia Paladino et dans ceux, beaucoup plus probants et beaucoup plus rigoureusement contrôlés du médium, de madame Bisson. Il tire probablement, soit du médium, soit des assistants, la substance plastique à l'aide de laquelle il forme et organise les corps *tangibles*, qui naissent et disparaissent au cours de ces manifestations, nous donnant ainsi un aperçu très curieux sur la manière dont la pensée, l'esprit ou le fluide créateur agit sur la matière, la condense, la modèle et se comporte, lorsqu'il s'agit de former notre corps.

XV

Il a encore été expérimentalement démontré que ce fluide odique peut être capté. Il est possible d'en charger n'importe quel objet. L'objet magnétisé, dans lequel le magnétiseur a fait passer une partie de sa force vitale, toute possibilité de suggestion étant écartée, conservera toujours sur le sensitif la même action, c'est-à-dire celle qu'avait voulue le magnétiseur. Il le fera rire ou pleurer, grelotter ou suer, danser ou s'endormir, selon la volonté qu'avait le magnétiseur en émettant son fluide. En outre, ce fluide paraît indestructible : un pilon de marbre magnétisé, et mis successivement dans l'acide muriatique, nitreux et sulfurique, soumis à l'action corrosive de l'ammoniaque, ne perd rien de sa force. Une barre de fer chauffée à blanc, de la résine fondue et recoulée en d'autres formes, l'eau bouillie, le papier brûlé et réduit en cendres, garde toute sa puissance. Il y a plus, pour prouver que l'appréciation de cette force ne dépend pas d'une impression humaine, on a constaté que l'eau magnétisée, puis bouillie, dévie de vingt degrés, comme avant l'ébullition, l'aiguille d'un rhéomètre, qui est, comme chacun le sait, l'appareil qui mesure les courants électriques. Il serait intéressant de savoir si cette force vitale emprisonnée dans un objet survit au magnétiseur. Je ne sais si des expériences ont été faites sur ce point. En tous cas, on a observé que plus de six mois après avoir été chargées d'Od, les substances les plus hétéroclites : fer, étain, colophane, cire, soufre, marbre, gardaient intactes leurs vertus magnétiques.

XVI

Non seulement le fluide odique ainsi capté renferme et reproduit la volonté du magnétiseur, il renferme encore et représente une partie de la personnalité du magnétisé, et notamment toute sa sensibilité. Le colonel de Rochas a fait sur ce point, qu'il appelle : « *L'extériorisation de la sensibilité* », une foule d'expériences déconcertantes et cependant inattaquables et décisives, qui nous ramènent directement aux pratiques de l'envoûtement des magiciens de l'antiquité et des sorcières du Moyen âge, ce qui nous montre une fois de plus que sous les plus étranges croyances ou superstitions, dès qu'elles sont suffisamment générales il y a presque toujours une vérité cachée ou oubliée.

Je crois inutile de rappeler ici les expériences qui sont connues de tous ceux qui ont entr'ouvert un livre de métapsychique. Je dois me borner ; ce que j'ai dit suffit à établir qu'il y a en nous un principe vital qui n'est pas indissolublement lié à notre corps, qui peut le quitter, qui peut s'extérioriser, du moins en partie et momentanément durant notre vie, qui peut être rendu visible, qui possède une force indépendante de nos muscles, qui peut condenser de la matière, la modeler, l'organiser, la faire vivre, non seulement en apparence, comme les fantômes de notre imagination, mais comme des corps tangibles et réels, dont la substance s'évanouit et rentre en nous de façon inexplicable. Nous avons également vu que ce principe vital peut être capté dans un objet, et maintient indestructiblement dans cet objet, malgré toutes les manipulations physiques ou chimiques, la volonté du magnétiseur et la sensibilité du magnétisé. N'est-ce pas le moment de se demander si, étant à ce point séparable et indépendant de notre corps, si étant à ce point indestructible, par exemple dans les cendres d'un papier brûlé qui n'en renfermait qu'une minime partie, ce fluide vital ne survit pas à la destruction de notre corps ? En réponse à cette question, nous avons, outre la logique, les très troublantes constatations des sociétés savantes qui se sont vouées à la recherche des cas de survivance rigoureusement constatées, notamment, les cinq ou six cents apparitions de morts contrôlées par la « Society for Psychical Research ». Il faut convenir que ces apparitions, qui sont probablement des manifestations odiques d'outre-tombe, paraissent beaucoup plus vraisemblables, depuis que nous connaissons certaines propriétés de l'étrange fluide que nous venons d'étudier.

XVII

Depuis la mort des chefs de l'école odique, Reichenbach, du Prel et de Rochas, cette étude des fluides a été quelque peu négligée, à tort selon nous, car elle est loin d'être épuisée ; mais il y a des modes en métapsychie comme en toutes choses. La « Society for Psychical Research », notamment, durant ces dernières années, s'est occupée presque exclusivement de la question des « Correspondances croisées », et son enquête, si elle n'a pas donné des résultats absolument péremptoires, permet du moins de soupçonner de plus en plus sérieusement la présence, autour de nous, d'entités spirituelles, invisibles et intelligentes, désincarnées ou autres, qui s'amusent, c'est le mot, à nous prouver qu'elles se jouent de l'espace et du temps et poursuivent un dessein qu'on ne démêle pas encore. Je sais bien que l'on peut, à la rigueur, attribuer ces communications insolites aux facultés inconnues du subconscient ; mais l'hypothèse devient de jour en jour plus précaire, et le moment n'est peut-être pas très éloigné où nous serons enfin forcés d'admettre l'existence de ces désincarnés, de ces doubles, de ces esprits errants, de ces élémentaires, de ces « Dhyan-Choans », de ces « Dévas », de ces esprits cosmiques, dont les occultistes d'autrefois n'avaient jamais douté.

Dans cet ordre d'idées, pour ne pas parler du *Raymond* de Sir Oliver Lodge, des très intéressantes expériences spirites de P.-E. Cornillier ni d'une foule d'autres, ce qui nous entraînerait trop loin, les récents travaux du Dr W. Crawford, qui ont fait sensation dans le monde métapsychique, sont venus apporter à la théorie des « Invisibles », un sérieux appui. Il est vrai, comme nous le verrons, que cet appui lui vient moins des faits mêmes que de l'interprétation qu'on leur donne.

XVIII

W.-J. Crawford, docteur ès sciences, professeur au collège de Belfast, a fait sur la « télékinésie », ou mouvements sans contact, des expériences conduites avec une telle rigueur scientifique qu'elles excluent entièrement toute idée de fraude et confirment complètement celles de Crookes avec Home, de l'Institut psychologique avec Eusapia, et d'Ochorovicz avec Mlle Tomscyk.

Il s'agit, dans ces expériences, de ce phénomène extrêmement bizarre qui est une sorte d'extériorisation physique, de dédoublement d'abord amorphe et ensuite plus ou moins plastique du médium. Du corps de celui-ci sort une substance indéfinissable, tantôt visible, comme chez Éva, le médium de Mme Bisson, tantôt invisible, comme chez le médium de Crawford, mais qui, même invisible, peut être touchée et délimitée et agit comme si elle avait une réalité objective.

Cette substance, moite, froide, parfois visqueuse, qu'on appelle l'« Ectoplasme », peut être pesée et son poids correspond exactement à celui dont s'allège le corps du médium ; elle peut atteindre jusqu'à 50 pour cent du poids total de celui-ci. A la fin de la séance, elle se résorbe, sans laisser de trace, dans le corps du sujet qui reprend instantanément son poids normal.

Dans ces expériences, cette substance invisible se comporte comme si elle sortait du corps du médium sous la forme d'une tige plus ou moins rigide qui va soulever une table placée à une certaine distance du siège sur lequel le médium est assis. Si la table est trop lourde pour être soulevée directement, à bout de bras, pour ainsi dire, la tige ou le levier psychique se courbe, prend un point d'appui sur le sol et se redresse pour soulever le meuble. Quand ce levier invisible ne prend son point d'appui que sur le médium, le poids de ce dernier s'augmente de celui de l'objet soulevé ; mais quand il prend son point d'appui sur le sol, le poids du médium est diminué du poids reporté sur ce point d'appui.

Ces phénomènes de lévitation étaient parfaitement connus avant les recherches de Crawford, mais par la découverte du levier invisible, parfois perceptible au toucher et pouvant même être photographié, il en a le premier révélé le mécanisme tout ensemble matériel et psychique. En outre, au cours de ses innombrables expériences, il a constaté que tout se passait comme si des entités invisibles y assistaient, y collaboraient et souvent les dirigeaient. Il communiquait avec elles par la typtologie et, ayant remarqué que ces opérateurs mystérieux ne paraissaient pas bien comprendre l'intérêt scientifique des phénomènes, il les interrogea et conclut de leurs réponses qu'ils n'étaient que des sortes de manœuvres, manipulant des forces qu'ils ne connaissaient pas et accomplissant une besogne commandée par des êtres d'un ordre plus élevé qui ne pouvaient ou ne daignaient opérer eux-mêmes.

On peut évidemment soutenir que ces collaborateurs invisibles émanent du subconscient du médium ou des assistants et la question est encore insoluble. Mais la conviction où fut amené peu à peu et pour ainsi dire par la force des choses, un savant d'abord aussi sceptique que l'était Crawford, ne mérite pas moins d'être sérieusement envisagée. En tout cas, ses expériences, comme celles du fluide odique, démontrent une fois de plus que notre être est beaucoup plus immatériel, plus psychique, plus mystérieux, plus puissant et sans doute plus durable que nous ne le croyons ; ce que nous avaient enseigné les religions primitives et les occultistes qui s'en inspirèrent.

XIX

En ne perdant pas de vue les autres manifestations spirites, les apparitions posthumes, les phénomènes de psychométrie et de matérialisation, les prévisions de l'avenir, le mystère des animaux parlants, les miracles de Lourdes et d'autres lieux, que nous ne mentionnons ici que pour mémoire, voilà, en regard des immenses et orgueilleuses affirmations d'autrefois, les demi-certitudes et les petits faits lentement reconquis par nos occultistes d'aujourd'hui. A première vue, c'est peu de chose et même si la grande question centrale de notre métapsychique, la question de la survivance était enfin résolue, cette solution tant attendue ne nous mènerait pas encore bien loin, beaucoup moins loin, sans doute, que n'étaient allés les prêtres de l'Inde et de l'Égypte. Mais pour modestes qu'elles sont, les découvertes de nos occultistes ont du moins l'avantage de reposer sur des faits que nous pouvons contrôler et doivent nous être plus précieuses que les plus grandioses hypothèses qui jusqu'ici ont échappé à toute vérification.

XX

Maintenant, il est fort possible que pour pénétrer plus avant dans les régions où ils s'aventurent, les méthodes purement expérimentales, qui sont les plus sûres dans les autres sciences, soient insuffisantes. Il entre en jeu d'autres éléments que ceux que la science a coutume de rencontrer. Il s'agit de forces peut-être plus spirituelles que celles de notre esprit et pour les saisir et les dominer, il se peut qu'il soit nécessaire de s'occuper d'abord de notre propre spiritualisation. Il est bon d'avoir des laboratoires parfaitement organisés, mais c'est probablement en nous-mêmes que se trouve le véritable laboratoire d'où sortiront les dernières découvertes. Il semble que mieux que nous les prêtres et les mages des grandes religions l'avaient compris. Quand ils voulaient s'engager dans les domaines ultra-spirituels de la nature, ils s'y préparaient longuement. Ils sentaient qu'il ne leur suffisait pas d'être des savants, mais qu'avant tout ils devaient devenir des saints. Ils commençaient par faire l'éducation de leur volonté, par sacrifier tout leur être, par mourir à tout désir. Ils enveloppaient leurs forces intellectuelles d'une force morale qui les menait beaucoup plus directement sur le plan où se passaient les phénomènes étranges qu'ils interrogeaient. Il est assez vraisemblable qu'il y a dans l'invisible ou l'infini des choses que l'intelligence n'atteint pas, sur lesquelles elle n'a aucune prise, mais qu'une autre puissance peut rejoindre ; et cette puissance est peut-être ce qu'on appelle l'âme ou ce subconscient supérieur que les antiques religions avaient appris à cultiver par des exercices et surtout par un renoncement et une concentration spirituelle dont nous avons perdu la pratique et même la notion.

CONCLUSIONS

I

Nous avons déjà, au cours de cette étude, rencontré la plupart des conclusions qu'on en peut tirer ; il suffira de rappeler, en les résumant, les principales.

A l'origine des religions, notamment à l'origine de celle qui paraît être la plus ancienne et la source des autres, il n'y a pas de doctrine secrète, il n'y a pas de révélation, il n'y a que la tradition préhistorique d'une métaphysique que nous appellerions aujourd'hui purement rationaliste. L'aveu d'ignorance totale au sujet de la nature, des attributs, du caractère, des volontés, de l'existence même de la Cause première ou du Dieu des dieux, est formel et public. C'est une immense négation, on ne sait rien, on ne peut pas savoir, on ne saura jamais, car Dieu lui-même ne sait peut-être pas.

Cette Cause première inconnue est nécessairement infinie, car l'infini seul est inconnaissable et le Dieu des dieux ne serait plus le Dieu des dieux et ne se concevrait point s'il n'était pas tout. De son infinité naît donc inévitablement le panthéisme, attendu que cette cause étant tout, tout est elle et qu'il n'est pas possible d'imaginer quelque chose qui la limite et ne soit pas elle, en elle ou par elle. De ce panthéisme dérive à son tour la croyance à l'immortalité et l'optimisme final, vu que la cause étant infinie dans l'espace et le temps, rien de ce qui est elle ou en elle ne peut être anéanti sans qu'elle anéantisse une partie d'elle-même, ce qui est impossible puisqu'elle serait encore le néant qui tenterait de la limiter ; de même que rien non plus ne peut être éternellement malheureux sans qu'elle condamne une partie d'elle-même à un malheur éternel.

Agnosticisme total, avec ses conséquences : infinité divine, panthéisme, immortalité de tout et optimisme final, voilà donc le point de départ des grands instructeurs primitifs, pures intelligences et logiciens implacables, tels que l'étaient, s'il faut en croire les traditions occultistes, les mystérieux Atlantes ; et ne serait-ce pas le même point de départ que devraient choisir aujourd'hui ceux qui voudraient fonder une religion nouvelle qui ne répugnât pas à la raison humaine de plus en plus exigeante ?

II

Mais si tout est Dieu et doit être nécessairement immortel, il n'en est pas moins certain que les hommes, les choses, les mondes disparaissent. A partir de ce moment, nous quittons les conséquences logiques du grand aveu d'ignorance pour entrer dans le dédale de théories qui ne sont plus inattaquables, et qui du reste, à l'origine, ne nous sont pas proposées comme des révélations, mais comme de simples hypothèses métaphysiques, des spéculations très anciennes, nées de la nécessité d'accorder les faits avec les déductions trop abstraites et trop rigides de la raison humaine.

En réalité, selon ces hypothèses, l'homme, les mondes, l'univers ne périssent jamais ; ils disparaissent et reparaissent tour à tour, dans l'éternité, en vertu de Maya, l'illusion de l'ignorance. Quand ils ne sont plus pour nous, quand ils n'existent plus pour personne, ils existent toujours virtuellement, où personne ne les voit ; et ceux qui ont cessé de les voir ne cessent pas d'exister comme s'ils les voyaient. De même, quand Dieu se limite pour se manifester et prendre conscience d'une partie de soi, il ne cesse pas d'être infini et inconnaissable à lui-même. Il semble se mettre un moment au point de vue ou à portée de ceux qu'il a réveillés dans son sein.

Cette dernière hypothèse ne pouvait être à l'origine, comme elle l'est encore maintenant et comme elle le sera toujours, qu'un pis-aller, mais devint plus tard une sorte de dogme qui, avidement accueilli par l'imagination, se substitua bientôt complètement à la grande négation primitive. A partir de ce moment, désespérant de connaître l'inconnaissable, on le dédouble, on le subdivise, on le multiplie, on relègue dans l'inaccessible infini l'inconcevable cause première et on ne s'occupe plus que des causes secondes par lesquelles elle se manifeste et agit. On ne se demande pas, ou plutôt on n'ose pas se demander comment la cause étant essentiellement inconnaissable, ses manifestations peuvent être considérées comme connues sans qu'elle cesse d'être inconnaissable, et on entre dans l'immense cercle vicieux où il faut bien se résigner à vivre sous peine de se condamner à une négation, à une immobilité, à une ignorance et à un silence éternels.

Ne pouvant connaître Dieu en soi, on se contente de le chercher et de l'interroger dans ses créatures et surtout dans l'homme. On croit l'y trouver, et les religions naissent avec leurs dieux, leurs cultes, leurs sacrifices, leurs croyances, leurs morales, leurs enfers et leurs cieux. La filiation qui les rattache toutes à la Cause inconnue est de plus en plus oubliée et ne reparaît qu'à certains moments, par exemple, longtemps après, dans le Bouddhisme, dans les métaphysiques, dans les mystères et dans les traditions occultes. Mais malgré cet oubli, grâce à l'idée de cette cause première, nécessairement une, invisible, intangible, inconcevable, et qu'on est par conséquent obligé de considérer comme purement spirituelle ; dans la religion primitive, deux grands principes, infiltrés par la suite dans celles qui en dérivèrent, sont demeurés vivaces, qui répètent sourdement, sous toutes les apparences, que l'essence est une et que l'esprit est la source de tout, l'unique certitude, la seule réalité éternelle.

III

De ces deux principes qui au fond n'en sont qu'un, découle toute la morale primitive qui devint la grande morale de l'humanité. L'unité étant l'idéal et le souverain bien, le mal est la séparation, la division, la multiplicité ; et la matière n'est en somme qu'un résultat de la séparation ou de la multiplicité. Il faut donc pour rentrer dans l'unité, se dépouiller, sortir de la matière qui n'est qu'une forme inférieure, une dégradation de l'esprit.

C'est ainsi qu'on trouva ou qu'on crut trouver la volonté de l'inconnaissable et la clef de toute morale, sans du reste oser se demander pourquoi cette rupture de l'unité et cette dégradation de l'esprit avaient été nécessaires ; comme si l'on avait supposé que la Cause première qui aurait pu retenir toutes choses à l'état d'unité souverainement heureuse dans son sein unique, immobile et souverainement heureux, eût été condamnée par une loi supérieure et irrésistible au mouvement et aux recommencements éternels.

Ces idées, trop purement métaphysiques pour alimenter une religion, furent bientôt, dans l'Inde même, recouvertes d'une prodigieuse végétation de mythes et devinrent peu à peu le secret des brahmanes qui les cultivèrent, les développèrent, les approfondirent et les compliquèrent jusqu'à la démence. De là elles se répandirent sur la terre ou regagnèrent les lieux d'où elles étaient parties, car s'il nous est permis de repérer plus ou moins chronologiquement un foyer central, il nous est impossible de déterminer d'où elles surgirent dans la préhistoire, à moins de nous en rapporter aux légendes théosophiques des sept races, que nous pourrons peut-être admettre quand on nous offrira des documents moins critiquables que ceux qu'on nous a fournis jusqu'ici.

IV

En tout cas, nous suivons assez facilement, dans le monde historique, la marche de ces idées, qu'elles soient simultanées ou postérieures, dans l'Inde, dans l'Égypte et la Perse, ou qu'elles pénètrent en Chaldée et dans la Grèce anté-socratique par des mythes, par des contacts ou des émigrations que nous ignorons, ou, spécialement pour l'Hellade, par les poèmes orphiques, recueillis à l'époque alexandrine, mais remontant à des temps légendaires et nous offrant des vers qui, comme le constate Émile Burnouf dans sa *Science des religions*, sont traduits mot à mot des hymnes du Véda[64].

[64] ÉMILE BURNOUF, *La science des religions*, p. 105.

Par suite du séjour en Égypte, de la captivité de Babylone et de la conquête de Cyrus, elles atteignirent la Bible, s'y dénaturèrent pour s'accorder au monothéisme juif, mais se conservèrent secrètement, à peu près pures, par transmission orale, dans la Kabbale, où l'En-Sof, comme nous l'avons vu, est la réplique exacte de l'Inconnaissable hindou et conduit à un agnotiscisme, à un panthéisme, à un optimisme et à une morale presque similaires.

Ces idées, étouffées sous la Bible dans le monde juif, et dans le monde gréco-romain sous le poids des religions et des philosophies officielles, survécurent dans des sectes secrètes et notamment parmi les Esséniens, ainsi que dans les mystères, et reparurent à la lumière du jour aux environs de l'ère chrétienne, dans les écoles gnostiques et néo-platoniciennes et plus tard dans la Kabbale enfin fixée par écrit, d'où elles passèrent, plus ou moins défigurées, dans l'occultisme du Moyen âge dont elles forment l'unique fond.

V

Nous voyons ainsi que l'occultisme, ou plutôt la doctrine secrète, variable dans ses formes, souvent très obscurcie, surtout durant le Moyen âge, mais presque partout identique dans son fond, fut toujours une protestation de la raison humaine, fidèle à ses traditions anté-historiques, contre les affirmations arbitraires et les prétendues révélations des religions publiques et officielles. Elle opposait à leurs dogmes sans fondements, à leurs manifestations divines anthropomorphes, illogiques, trop petites et inacceptables, l'aveu d'une ignorance totale et invincible sur tous les points essentiels. De cet aveu, qui au premier abord paraît tout détruire mais qui conduit presque forcément à une conception spiritualiste de l'univers, elle sut tirer une métaphysique, une mystique et une morale beaucoup plus pures, plus élevées, plus désintéressées et surtout plus rationnelles que celles qui naquirent des religions qui l'étouffèrent. On pourrait même démontrer que tout ce que ces religions ont encore de commun sur des hauteurs où toutes se rejoignent, tout ce qui n'a pu être rabaissé au niveau des exigences matérielles d'une trop longue vie, tout ce qu'on trouve en elles de grandiose, d'infini, d'impérissable et d'universel, elles le doivent à cette métaphysique immémoriale où plongèrent leurs premières racines.

Il semble même qu'à mesure que le temps les en éloigne, l'esprit les y ramène ; c'est ainsi que dans les deux dernières, sans parler de tout ce qu'elles lui empruntèrent plus directement, le Dieu-le-Père du Christianisme et l'Allah de l'Islamisme, sont bien plus près de l'En-Sof de la Kabbale que du Jéhovah de la Bible ; et que le Verbe de Saint Jean, dont il n'est pas question dans l'Ancien Testament, ni dans les Synoptiques, n'est que le Logos des gnostiques et des néo-platoniciens qui le tenaient eux-mêmes de l'Inde et de l'Égypte.

VI

Est-ce donc là le grand secret de l'humanité qu'on cachait avec tant de soin sous des formules mystérieuses et sacrées, sous des rites parfois effrayants, sous des réticences et des silences redoutables : une négation sans bornes, un vide immense, une ignorance sans espoir ? Oui, ce n'est que cela ; et il est heureux que ce ne soit pas autre chose, car un Dieu et un univers assez petits pour que le petit cerveau de l'homme pût en faire le tour, en comprendre la nature et l'économie, en connaître l'origine, le but et les limites, deviendraient si étroits et si misérables que personne ne se résignerait à y demeurer éternellement prisonnier. Il faut à l'humanité l'infini et son corollaire l'ignorance invincible pour ne pas se sentir dupe ou victime d'une inexcusable expérience ou d'une erreur sans issue. On pouvait ne pas l'appeler à la vie, mais puisqu'on l'a tirée du néant, il lui faut l'illimité de l'espace et du temps dont on lui a donné l'idée ; elle est en droit de participer de tout ce qu'est celui qui la fit naître avant qu'elle lui pardonne d'être née. Et elle n'y peut participer qu'à condition de ne pas comprendre. Toute certitude, du moins tant que notre cerveau ne sera pas délivré des liens qui l'entravent, deviendrait une borne contre laquelle irait se briser tout désir d'exister. Réjouissons-nous donc de n'en pas avoir d'autre que celle d'une ignorance aussi infinie que le monde ou le Dieu qui en est l'objet.

VII

Après tant d'efforts, après tant d'épreuves, nous nous retrouvons exactement au point d'où étaient partis nos grands instructeurs. Ils nous ont légué une sagesse que nous commençons à peine à débarrasser des débris que les siècles y avaient déposés ; et sous ces débris nous retrouvons intact le plus haut aveu d'ignorance que l'homme ait osé proférer. C'est peu si l'on aime l'illusion, c'est beaucoup si l'on préfère la vérité. Nous savons enfin qu'il n'y eut jamais de révélation ultra-humaine, de message direct et irrécusable de la divinité, de secret ineffable et que tout ce que l'homme croit connaître au sujet de Dieu, de son origine et de ses fins, c'est de sa propre raison qu'il l'a tiré. On se doutait bien, avant d'avoir interrogé nos ancêtres préhistoriques, que toute révélation, au sens où l'entendent les religions, était et sera toujours impossible ; car on ne peut révéler à quelqu'un que ce qu'il est capable de comprendre, et Dieu seul peut comprendre Dieu. Mais on s'imaginait volontiers, qu'ayant pour ainsi dire assisté à la naissance du monde, ils devaient en savoir plus que nous puisqu'ils étaient encore plus près de Dieu. Ils n'étaient pas plus près de Dieu, ils étaient simplement plus près de la raison humaine que n'avaient pas encore offusquée des imaginations millénaires. Ils se sont contentés de nous donner les seuls repères que cette raison puisse découvrir dans l'inconnaissable : panthéisme, spiritualisme, immortalité, optimisme final, abandonnant le reste aux hypothèses de leurs successeurs et laissant sagement sans réponse, comme nous les laisserions encore aujourd'hui, toutes les questions insolubles que les religions qui suivirent tranchèrent aveuglément, de façon souvent ingénieuse, mais toujours arbitraire et parfois puérile.

VIII

Faut-il refaire le compte de ces questions ? Passage du virtuel au réel, de l'essence au devenir, du néant à l'être, descente de l'esprit dans la matière, c'est-à-dire origine du mal, et remontée de la matière vers l'esprit, nécessité de sortir d'un état éternellement bienheureux pour y revenir après une purification et des épreuves dont l'indispensabilité est incompréhensible ; recommencements éternels pour atteindre un but qui fuira toujours, puisqu'il n'a pas été atteint, bien que dans le passé on ait eu pour l'atteindre autant de temps qu'on en aura dans l'avenir.

On pourrait allonger sans mesure ce bilan de l'inconnaissable. Il suffira d'ajouter pour le clore que la question qui, à tort ou à raison nous inquiète le plus, celle qui concerne le sort de notre conscience et de notre personnalité dans l'absorption divine, demeure elle aussi sans réponse ; car le Nirvana ne décide, ne précise rien, et le Bouddha, dernier interprète des grands enseignements ésotériques, avoue lui-même qu'il ne sait pas si cette absorption a lieu dans un néant ou dans un bonheur éternel : « Le sublime ne l'a pas révélé. »

« Le Sublime ne l'a pas révélé », car rien n'a été révélé et rien n'est résolu parce qu'il est probable que rien ne sera jamais résoluble et qu'il est vraisemblable que des êtres dont l'intelligence serait un million de fois plus puissante que la nôtre ne trouveraient pas encore de solution. Pour comprendre la création, nous dire d'où elle vient, où elle va, il faudrait en être l'auteur ; et encore, se demande le Rig-Véda, à la source même de la sagesse primordiale, « Et encore, le sait-il ? »

Le grand secret, le seul secret, c'est que tout est secret. Apprenons du moins à l'école de nos mystérieux ancêtres à faire, comme ils l'avaient fait, la part de l'inconnaissable et à n'y chercher que ce qui s'y trouve, c'est-à-dire la certitude que tout est Dieu, que tout est en lui et y doit aboutir dans le bonheur, et que la seule divinité que nous puissions espérer de connaître, c'est au plus profond de nous-mêmes qu'il la faut découvrir. Le grand secret n'a pas changé d'aspect, il reste, à la même place, ce qu'il était pour eux. Ils surent, dès l'origine, tirer de l'inconnaissable la morale la plus pure que nous ayons eue ; puisque nous nous retrouvons au même point dans cet inconnaissable, il serait hasardeux, pour ne pas dire impossible, d'en déduire d'autres enseignements. Et leurs enseignements, qui par le haut sont demeurés les mêmes et ne diffèrent qu'aux parties basses dans toutes les religions dont les dogmes divers ne sont au fond que des traductions ou des interprétations mythologiques de ces vérités trop abstraites, auraient fait de l'homme ce qu'il n'est pas encore, s'il avait eu le courage de les suivre. Ne les oublions point, c'est le dernier et le meilleur conseil que nous donne le testament mystique que nous venons de feuilleter.